아르 브뤼와 아웃사이더 아트

아르 브뤼와 아웃사이더 아트 그렇게 외부자들은 예술가가 되었다
Art Brut and Outsider Art: That's How Outsiders Became Artists

발행   2024년 3월 20일
저자   오혜재
표지그림   파리에서의 밤(Night in Paris), 21×29.7cm, 붓펜 © 오혜재 2014
본문서체   부크크체 © ㈜부크크 2022

펴낸이   한건희
펴낸곳   주식회사 부크크
출판사등록   2014년 7월 15일(제2014-16호)
주소   서울특별시 금천구 가산디지털1로 119 SK트윈타워 A동 305호
전화   1670-8316
이메일   info@bookk.co.kr

ISBN   979-11-410-7630-6

아르 브뤼와 아웃사이더 아트

그렇게 외부자들은 예술가가 되었다

Art Brut and Outsider Art: That's How Outsiders Became Artists

오혜재 지음

차례

"예술은 사람들이 마련해 놓은 침대에서 잠들지 않는다.
진정한 예술은 예술이라고 불리는 동시에 사라지기에,
익명으로 남기를 원한다.
예술의 최고의 순간은 그 이름마저 잊을 때다."

– 장 뒤뷔페

1장. 광기와 맞물린 '예술 밖 예술'

"

20세기 초 정신의학은 '광인'을 필두로
현실 사회의 소외계층과 약자들이 지닌
예술적 역량과 가치에 주목하고,
이를 체계적으로 연구함으로써
비주류 예술의 초석을 다졌다.
무엇보다 지금 비주류 예술이
유의미하게 다가오는 것은,
그 어느 때보다도 현시대가
통합과 평등을 중시하기 때문이다.

"

1995년에 발표된 이상은의 <공무도하가>는 나에게 들어도 들어도 질리지 않는 불후의 명곡이다. '한국 대중음반 100대 명반' 10위에 선정된 이 곡은 한국 최고(最古)의 시 「공무도하가」(公無渡河歌)의 정서를 시대와 문화를 초월한 현대적 감수성으로 탁월하게 재해석했다. 무엇보다 한 언론과의 인터뷰에서 그녀가 밝혔던, 이 노래에 투영된 '예술가' 이상은의 시점이 나를 사로잡았다.

"고등학교 2학년 고전문학 수업시간 때, 선생님께서 고조선의 시가 「공무도하가」에 대해 설명해 주시면서 '지금은 우리가 이 노래를 시(詩)로 배우고 있지만, 당시에는 많은 사람들이 유행가처럼 불렀던 노래였다'고 하셨다. 이 말을 듣고 그 멜로디가 남아있다면 얼마나 아름다웠을까 생각한 적이 있다. 일본에서 앨범 구상을 할 때, 갑자기 그때 기억이 떠올랐다. 그 당시 널리 불리던 이 시가의 잃어버린 멜로디를 다시 재현해보고 싶었다. 내가 주목한 건 그 시가의 등장 인물들이었다. 백수광부(白首狂夫)와 그의 처, 그리고 여옥. 백수광부는 광기에만 휩싸인 예술가, 그의 아내는 그걸 옆에서 지켜보며 슬퍼하는 사람, 여옥은 그 모든 것을 감내하며 예술로 승화시킨 여인이라고 생각했다. 삶을 살아가면서 상황에 따라 세 사람 중의 한 사람이 될 수 있다. 노랫말을 쓰고 레코딩을 하면서 거기 온통 매달려 헤매는 내 모습은 백수광부 같고, 음반 하나를 끝내고 나면 여옥이 되어있는 또 다른 나. <공무도하가>는 나 자신의 예술에 대한 질문과 동시에 답이 되는 곡이다."

「공무도하가」의 상징성에 대해서는 다양한 해석이 존재한다. 혹자는 백수광부를 신화적 존재로, 그의 아내를 현실적 존재로 보고 이들이 신화적 질서의 붕괴와 현실 세계 속 새로운 질서의 등장을 보여준다고 한다. 또는 백수광부와 아내 모두 무당이며, 무당이 신성한 의식을 진행하다 죽음을 맞이하는 과정을 그리고 있다고 해석한다. 백수광부를 디오니소스(Dionysos)와 같은 주신(酒神)으로, 그의 아내를 님프(Nymph)와 같은 음악의 신으로 보는 경우도 있고, 남편을 잃은 아내가 우리 고유의 정서인 한(恨)을 대변한다는 점에 주목하기도 한다. 아니면 문학평론가 신형철의 말처럼, 그저 뜻대로 되지 않는 우리네 인생을 비추고 있는지도 모른다. 모두 일리가 있지만, 같은 예술가로서 나는 이상은의 <공무도하가>가 던지는 화두에 귀를 기울이게 된다. 광기와 예술 사이에서 자신만의 세계를 구축해 나가는 예술가의 숙명 말이다.

광기와 예술의 연결고리에 대한 담론은 「공무도하가」가 만들어진 고조선 시대만큼이나 오래 전부터 존재해왔다. 그 시작점은 고대 그리스 시대였는데, 그 시절 광기의 개념은 두 가지로 구분되었다. 하나는 초자연적인 것에서 비롯된 '신적 광기'고, 다른 하나는 자연의 법칙에 따라 발생한 '인간적 광기'였다. 고대 그리스에서는 시인과 같은 예술가들이 신들에게서 영감을 받아 이들의 계시를 전달한다고 여겼고, 후자보다 전자에 높은 가치를 부여했다. 이상주의자였던 철학자 플라톤(Platon)은 이러한 고대 그리스의 이분법적 개념을 바탕으로 광기와 창조의 관계를 조명했다. 그는 예술적 창조력이 기술처럼 사후에 습득될 수 있는 것이 아니라 자연의 선물로서 주어지는 창조적 재능이며, 신적 광기가 이와 함께 작용한다고 여겼다. 반면 플라톤의 제자면서 현실주의자였던 아리스토텔레스(Aristo-teles)는 인간적 광기가 예술 창조를 가능케 하며, 여기에는 인간의 우울증(melancholy)이 작용하고 있다고 보았다. 나아가 아리스토텔레스, 그리고 로마 시대의 후기 스토아 학파 철학자였던 세네카(Seneca) 모두 광기와 천재성 사이에 상관관계가 있다고 보았다.

이후 개인의 가치를 인간의 역량이 아닌, 신이 인간에게 내린 은총으로 평가하는 중세 시대가 도래하면서, 1,500여 년 동안 광기와 창조에 대한 탐구는 사장되다시피 했다. 잊혀진 고대 그리스·로마 시대의 담론에 다시 불씨를 지핀 것은 이탈리아를 중심으로 서유럽에서 부흥한 르네상스(Renaissance) 운동이었다. '개인의 창조성을 억압하던 중세에서 벗어나 문화의 절정기였던 고대로 돌아가자'는 르네상스 시대의 예술 활동에는 신플라톤주의(Neoplatonism)가 큰 영향을 미쳤다. 또한 15세기와 16세기에 걸쳐 이탈리아의 철학자 마르실리오 피치노(Marsilio Ficino), 독일의 화가 알브레히트 뒤러(Albrecht Dürer)를 중심으로 우울증이 창조 활동에 미치는 긍정적 측면을 재발견하고자 했다.

그러나 17-18세기 경험과 이성을 토대로 객관성과 합리성을 중시하는 고전주의(Classicism) 시대로 접어들면서, 광기를 사회적으로 분리·경계하는 경향을 보인다. 프랑스의 철학자 르네 데카르트(René Descartes)는 광기에 홀릴 가능성을 염두에 두고, 이에 대응하고자 순수한 이성에 기반한 인식 주체인 '코기토'(cogito)를 내세웠다. 뒤이어 나타난 계몽주의(Enlighten-ment) 시대에는 광기가 격리와 치료의 대상인 병리현상으로 취급되면서 비이성의 영역으로 대상화되었다. 독일의 철학자 임마누엘 칸트(Immanuel Kant)는 광기가 근대 이전에 전제되어 있던 서양의 전통적인 이성을 붕괴시킬지도 모른다는 불안감에, 일종의 '방어 기제'로서 광기를 이념적으로 분리하고자 했다. 같은 독일의 철학자 게오르크 헤겔(Georg Hegel)은 광기가 아직 깨어나지 않은 인간 의식에 대한 '부정성'으로서 나타난다고 보았다. 다만 광기가 변증법의 운동을 거쳐 수차례 정(正,

thesis)-반(反, antithesis)-합(合, synthesis)의 과정을 반복하면서, 최종적으로는 이성이 비이성(광기)를 극복할 수 있다고 생각했다.[1)]

18-19세기 인간 내면의 감수성과 상상력을 중시하는 낭만주의(Romanticism) 사조가 등장하자, 광기는 인간의 가장 순수한 본연의 감수성인 동시에 예술 창조의 원동력으로서 높이 평가받았다. 다만 낭만주의자들에게 광기란 현실 속 그 무언가가 아닌, 예술 창작의 동력 또는 이상화된 예술 속 인물이 지닌 특징에 불과했다. 즉, 낭만주의 시대에 광기는 예술화되거나 이론상 포착된 메타포(metaphor)로서 인식되었다.

현실 속 광기와 실제 살아가는 광인을 예술과 관련지어 고찰하기 시작한 것은 19세기 말부터 20세기 초까지 이어진 정신의학과 심리학의 시기부터였다. 이 시기에는 관념론과 미학에 대한 기존의 전통에서 벗어나, 경험과 실증에 기반한 사회과학적 방법을 통해 인간을 이해하고자 했다.[2)] 오스트리아의

---

1) 이에 대해 일본의 정신과 의사인 마쓰모토 다쿠야(松本卓也)는 그의 저서 『창조와 광기의 역사: 플라톤에서 들뢰즈까지』(創造と狂氣の歷史 プラトンからドゥル-ズまで)에서 데카르트가 '광기에 부적을 붙이는 철학'을, 칸트는 '광기를 경계 지어 가두는 철학'을, 그리고 헤겔은 '광기를 극복하는 철학'을 정립했다고 표현한다.
2) 김남시는 저서 『광기, 예술, 글쓰기』에서 고대에서부터 이어져 온 광기-예술 담론이 19세기에 재부상하게 된 이유를 시대적 상황에서 찾는다. 제1차 세계대전, 도시의 급성장과 시시각각 변하는 삶의 환경 등으로 인해 인류는 전례 없는 심리적 불안과 충격, 스트레스에 직면했고, 증가하는 병리적 정신 현상들에 대한 연구와 대응이 절실해졌다.

심리학자 지그문트 프로이트(Sigmund Freud)의 정신분석이론을 토대로 인간 내면의 감정이나 무의식 등 이성에서 벗어난 영역을 예술로 승화하고자 했고,3) 이는 훗날 초현실주의(Surrealism), 추상표현주의(Abstract Expressionism) 등 여러 예술 사조의 등장을 촉진했다. 또한 정신의학의 영향을 받은 이론가들은 심리학 및 의학의 관점과 이에 기반한 방법론을 활용해, 소위 천재로 여겨졌던 예술가들의 생애나 전기, 일화 등에서 얻은 심리, 기질 등을 분석하고 이를 다양한 종류의 광기와 비교했다. 이로 인해 천재-예술-광기 간 연결고리에 대한 담론이 성행했고, 광기와 연계해 예술(가)에 대해 보다 깊이 이해하게 되면서 아르 브뤼(Art Brut), 나아가 아웃사이더 아트(Outsider Art)에 이르기까지 비주류 예술의 영역이 새롭게 공고화되고 발전했다.

이후 20세기 전반에 걸쳐, 인간의 이성에 회의적인 프랑스 철학자들을 주축으로 광기를 복권시키고자 하는 후기 구조주의

---

3) 김영호의 논문 「예술과 광기: 중광 예술론을 위한 시론(試論)」에서는 예술 생산의 원천으로서 플라톤이 주장한 신적 영감으로서의 '광기'가 프로이트에 와서 인간 정신에 내재된 '억압적 충동'으로 대체되었다고 본다. 프로이트를 시조로 한 정신분석이론에 따르면, 예술가의 창조 능력은 예술가의 '타고난 능력'이다. 예술가들이란 예술 창조의 '본유적인 충동'을 갖고 태어난 사람들이라는 것이다. 정신분석이론에서는 예술가의 무의식 속에 담긴 본유적 충동과 현실적 제약 사이에 발생하는 충돌로 인해 억압적 충동이 생겨나고, 이 정신병리학 현상인 스트레스를 해소·승화하기 위해 예술가가 작품을 창조한다고 보았다.

(Post-structuralism)와 포스트모더니즘(Post-modernism)이 성행했다. 『광기의 역사』(Folie et Déraison: Histoire de la folie à l'âge classique)를 쓴 미셸 푸코(Michel Foucault)는 프로이트의 정신분석이론을 이어받아, 이성이 광기를 배제하고 추방시킨 역사를 조명하면서 광기의 문제를 심리학의 영역을 넘어 인간의 총체적 문제로 확대시켰다. 특히 푸코는 르네상스가 해방시킨 광기를 고전주의 시대가 '이성'이라는 폭력적 수단을 통해 침묵하게 만들었고, 이러한 이성을 정립한 것이 데카르트라고 보았다. 이러한 푸코의 주장은 훗날 구조주의(Structuralism)에 반기를 들고 해체주의(Deconstruction)를 주창한 자크 데리다(Jacques Derrida)와의 격렬한 논쟁을 낳기도 했다. 데리다는 광기가 관념과 인식의 한가운데에 위협적인 존재로 위치하고 있으며, 어떠한 경우에도 광기로 대변되는 비이성을 사유에서 완전히 배제하는 것은 불가능하다고 보았다.

한편 반이성주의를 표방했던 독일의 철학자 프리드리히 니체(Friedrich Nietzsche)를 현대적 관점에서 재해석한 질 들뢰즈(Gilles Deleuze), 그리고 들뢰즈와 '철학 콤비'로 활약했던 펠릭스 가타리(Félix Guattari)는 자본주의 사회를 비판하면서 그 극복 방안을 이성이 아닌, 욕망과 정신적 자유에 기반한 광기에서 모색했다. 여기서의 광기는 암울한 현 시대를 헤쳐나가는 데 필요한 도구로서, 기존의 사회적 규범을 넘어 자아 발전과 창조적 변화를 이끌어내는 무의식적인 역동성과 감성, 정의로운 열정이다. 마찬가지로 프로이트의 정신분석학을 구조주의 언어학으로 재해석한 자크 라캉(Jacques Lacan)도 광기의 창조성과 예술적 생성 능력을 논증하는 데 기여했다. 현 시점에서 광기는 예술의 영역에서 필수불가결한 연구 대상이자, 현대 미술의 창작과 해석을 위한 중요한 지표로 자리매김하고 있다.

서두가 길었지만, 인류 역사 속에서 광기가 지닌 의미를 파악하는 것은 예술의 본질을 이해하는 데 있어 매우 중요하다. 특히 고대에서부터 이어진, 광기-예술 담론의 영고성쇠(榮枯盛衰) 속 편린(片鱗)들 중에서도 내가 톺아보고자 하는 것은 1920년대 초 유럽의 정신의학과 여기서 비롯된 비주류 예술이다. 아르 브뤼와 아웃사이더 아트를 주축으로, 한 세기 동안 미국과 유럽에서 비주류 예술은 개념화와 세분화, 확대와 정착의 과정을 거쳤다. 그리고 그 진화와 발전은 여전히 현재진행형이다.

20세기 초 정신의학은 '광인'을 필두로 현실 사회의 소외계층과 약자들이 지닌 예술적 역량과 가치에 주목하고, 이를 체계적으로 연구함으로써 비주류 예술의 초석(礎石)을 다졌다. 무엇보다 지금 비주류 예술이 유의미하게 다가오는 것은, 그 어느 때보다도 현시대가 통합과 평등을 중시하기 때문이다. 그 대표적인 예가 유엔(UN, United Nations)이 채택한 지속가능

발전목표(SDGs, Sustainable Development Goals)다. SDGs는 2000년부터 2015년까지 진행된 유엔 새천년개발목표(MDGs, Millennium Development Goals)를 종료하고, 2016년부터 2030년까지 추진하고자 구축한 국제사회의 공동 목표다. 앞서 시행된 MDGs와 비교했을 때, SDGs는 '누구도 소외되지 않는다'(Leaving no one behind)라는 슬로건을 중심으로 사회적 격차 해소, 포용과 연대를 강조한다. 예술의 차원에서 본다면 이는 문화다양성의 수용, 문화 간 교류, 예술가의 창작과 표현의 자유, 보편적 문화 접근성 및 관련 활동 참여, 문화를 통한 사회적 연대 등으로 연결된다.

이러한 점에서 나는 비주류 예술이 사회 통합과 다양성을 위한 예술의 역할과 가능성을 재발견하는 데 있어 유의미한 시사점을 던져줄 수 있다고 보았다. 특히 비주류 예술의 '불모지'나 마찬가지인 국내 미술계의 현주소를 고려해 볼 때, 비주류 예술에 대한 한국 사회의 인식과 관심을 높이는 데 보탬이 될 자료가 필요하다고 느꼈다. 이에 따라 '비주류 예술 100년사'를 한눈에 파악하는 데 도움이 될 만한, 국내외 산재되어 있던 다양한 자료들을 취합해 일목요연하게 정리해 나갔다. 그렇게 『아르 브뤼와 아웃사이더 아트: 그렇게 외부자들은 예술가가 되었다』는 세상의 빛을 보게 되었다.

이 책에서는 2009년 뉴욕에 설립된 비영리 미술 단체 '더 아트 스토리'(The Art Story)의 온라인 미술 백과사전 내용에 기반해 비주류 예술사를 다룬다. 이 온라인 백과사전은 양적으로는 레오 톨스토이(Leo Tolstoy)의 대하소설 『전쟁과 평화』만큼이나[4] 다양한 미술 분야 학자 및 전문가들이 구축한 최신 데이터를 보유하고 있다.

그 외에도 보다 다양한 관점에서 비주류 예술을 이해할 수 있도록, 국내외 여러 자료들을 참고·활용했다. 특히 유럽과 함께 비주류 예술의 양대 발상지인 미국에서 비주류 예술이 어떻게 성장·발전했는지 살펴보는 데 있어, 미국 민속 박물관에서 2017년에 발간한 『숨겨진 예술: 오드리 헤클러 컬렉션의 20-21세기 독학 예술가들』(The Hidden Art: Twentieth and Twenty-First Century Self-Taught Artists from the Audrey B. Heckler Collection)이 큰 도움이 되었다. 국내 자료로는 한국에서 지속적으로 비주류 예술을 연구해 온 한의정 충북대학교 조형예술학과 교수의 2013년 논문 「'아르 브뤼'(Art Brut)의 범주와 역사에 관한 연구」가 요긴했다.

아울러 '아르 브뤼'와 '아웃사이더 아트'라는 비주류 예술 용어의 경우, 기실 이들 모두 동일한 의미를 지니고 있으나 그 등장 시기나 개념적 범위에 있어 차이가 있다는 점을 감안했

---

4) 민음사에서 2018년에 출간한 『전쟁과 평화』 한국어판을 기준으로 이 소설은 총 4권으로 구성되어 있으며, 권별 평균 쪽수는 755쪽이다.

다. '아르 브뤼'는 '날 것의 예술'이라는 뜻의 불어식 표현으로, 1945년 프랑스의 화가 장 뒤뷔페(Jean Dubuffet)가 정식 미술교육을 받지 않고 주류 사회 및 예술계 밖에 존재하는 창작자들의 예술을 정의하고자 창안했다. 이후 1972년 영국의 예술학자 로저 카디널(Roger Cardinal)이 아르 브뤼의 영문 번역어로서 '아웃사이더 아트'라는 용어를 고안했고, 이는 포괄적이고 개방적인 개념으로 진화했다. 즉, 예술가의 범위에 있어 아르 브뤼는 정신병원이나 수용소에서의 예술에 초점을 맞춘 협의의 개념인 반면, 아웃사이더 아트는 정식 예술교육을 받지 않은 모든 창작자들에게 적용되는 광의의 개념이다. 따라서 이 책에서는 아르 브뤼와 아웃사이더 아트를 용어 표기 및 내용에 있어 구분해 다루고자 하며, 이들을 통칭할 때는 '비주류 예술'이라는 표현을 사용하고자 한다.

2장. 짧게 보는 아르 브뤼와 아웃사이더 아트

"

1945년 프랑스의 예술가 장 뒤뷔페는
내향적이고, 고립되어 있으며,
특출한 상상력을 보유한 이들이 만든
예술 작품을 범주화하고자
'날 것의 예술'이라는 뜻의
'아르 브뤼'라는 용어를 만들어냈다.
훗날 영국의 예술학자 로저 카디널이
아르 브뤼의 영문 번역어로서
'아웃사이더 아트'를 고안한 뒤에는
보다 넓고 열린 개념으로 발전하게 되었지만,
아르 브뤼는 비주류 예술가들을
가장 간단명료하게 일컬을 수 있는 용어로서
여전히 건재한다.

"

20세기 초 유럽의 정신의학은 예술을 매개로, 현실적이고 획기적으로 광기에 접근함으로써 비주류 예술의 정착과 체계화에 기여했다. 아르 브뤼(Art Brut)와 아웃사이더 아트(Outsider Art)를 주축으로, 비주류 예술은 한 세기에 걸쳐 미국과 유럽을 중심으로 성장과 발전을 거듭해 왔다.

　비주류 예술가들은 불굴의 창의적 힘을 동력 삼아, 인류의 가장 깊은 욕망과 두려움을 유발하는 재능을 자신의 삶 속에 절묘하게 엮어낸 예술작품을 선보인다. 1945년 프랑스의 예술가 장 뒤뷔페(Jean Dubuffet)는 내향적이고, 고립되어 있으며, 특출한 상상력을 보유한 이들이 만든 예술 작품을 범주화하고자 '날 것의 예술'(raw art)이라는 뜻의 '아르 브뤼'라는 용어를 만들어냈다. 훗날 영국의 예술학자 로저 카디널(Roger Cardinal)이 아르 브뤼의 영문 번역어로서 '아웃사이더 아트'를 고안한 뒤에는 보다 넓고 열린 개념으로 발전하게 되었지만, 아르 브뤼는 비주류 예술가들을 가장 간단명료하게 일컬을 수 있는 용어로서 여전히 건재한다.

　뒤뷔페는 주제와 기술적 측면 모두에 있어, 그가 동경하고 수집했던 비주류 예술작품들을 모방해 자신의 작품을 만들고자 했다. 하지만 사회적 제약으로부터 자유로웠던 그의 수집 작품들과 달리, 예술계 안에서의 그의 위치와 지위는 비주류 예술가들의 그것과 거리가 멀었다. 기실 아르 브뤼, 아웃사이더 아트 등의 비주류 미술 사조를 구축하는 것은 실제 예술계의 테두리 안에 존재하는 예술과는 상반되는 일이다. 그러나 뒤뷔페가 분투했던 비주류 예술의 집단화와 범주화 작업은 예술가로서 자신의 입지를 확대하거나, 예술 활동을 홍보하는 데 관심이 없는 이들의 작품에 이목을 집중시키는 데 있어 분명 도움이 되었다.

아르 브뤼의 개념에서 보면, 비주류 예술가들은 '예술가'가 될 때 대개 종교적 소명과 유사한 일종의 계시적 순간을 경험하는 경향을 보인다. 일반적으로 이들 비주류 예술가는 공인된 예술기관에서 정식 교육을 받지 않았으며, 예술작품을 통해 우주만물의 원리와 균형 체계를 기존의 관습에서 벗어난 방식으로 풀어낸다. 이들이 반드시 비극을 경험한 것은 아니지만, 빛의 세력뿐만 아니라 어둠의 그것도 예리하게 인식한다. 비주류 예술가들은 내면의 평화를 찾기 위한 외부 경로를 만들고자 항상 감정적인 갈등을 탐색하면서, 끊임없이 (흔히 정신질환으로 잘못 분류되는) 내면의 전쟁을 예술작품에서 다룬다. 이와 가장 가깝게 비교 가능한 전통적 미술운동은 초현실주의(surrealism)로, 그 전제 역시 인간 무의식의 힘에 기반하고 있기 때문이다.

실제로 뒤뷔페뿐만 아니라, 파블로 피카소(Pablo Picasso)를 비롯한 다른 유명 예술가들도 비주류 예술가들의 작품에서 영감을 받았다고 공언한 바 있다. 그러나 정작 비주류 예술가들은 예술적 아이디어를 공유·전파하는 데 있어 여느 예술가들과 동일한 추동력을 느끼지 못한다. 이들은 겸허하게, 기대 없이 예술작품을 제작할 수 있도록 조용하고 방해받지 않는 환경에 자신들을 내버려두기를 바란다.

1972년 카디널이 아웃사이더 아트 개념을 정립하면서, 비주류 예술가의 범위는 훨씬 확장되었다. 아웃사이더 아트는 정신질환자, 영매, 죄수 등 아르 브뤼가 포괄하는 비주류 예술가 집단뿐만 아니라, 정규 미술교육을 받지 않고 기존 예술계의 전통을 따르지 않는 강한 개성의 소유자들을 모두 아우른다.

아웃사이더 아트가 명명하는 비주류 예술가들은 다채로운 배경과 특성을 보유하고 있으며, 이는 독학 예술(Self-taught Art), 예지 예술(Visionary Art), 민속 예술(Folk Art) 등 비주류 예술의 여러 하위 개념들을 만들어냈다. 또한 은둔과 고립의 삶을 선택하는 대부분의 아르 브뤼 예술가들과는 달리, 아웃사이더 아티스트 중에는 기존 예술계 및 대중과 적극적으로 소통하는 경우가 적지 않다. 오늘날 많은 아웃사이더 아티스트들이 국제 경매, 갤러리, 박람회에 소개되면서 이들의 작품이 고가에 판매되고 있으며, 더 많은 아웃사이더 아트 전문 컬렉션이 탄생하고 있다.

이러한 아웃사이더 아트의 개방성과 다양성은 비주류 예술에 대한 다양한 고민과 과제를 수반하기도 한다. 이를테면 아웃사이더 아티스트가 대변하는 비주류 예술이 주류 예술과 차별화되는 부분이 구체적으로 무엇인지, 왜 비주류 예술의 개념 정립에 있어 주류 예술계에 의존하는지에 대한 문제들이 지속적으로 제기된다.

중요한 것은 아르 브뤼와 아웃사이더 아트가 시간, 양식, 장소, 주제에 근거한 운동이나 학파가 아니며, 관련 연구들의 초점 또한 작품 자체나 특성 관습, 통합적 특성보다는 창작자 자체에 기인해 왔다는 점이다. 따라서 아웃사이더 아트는 끊임없이 진화하며, 새로운 정의에 개방적이다. 무엇보다 주류 사회에서 제외되거나 이를 회피하는 예술은 향후에도 계속 존재할 것이기에, 비주류 예술의 정체성 확립과 지속적인 발전을 위해서는 동시대 예술계와의 적극적인 소통이 필요하다. 여기에는 뒤뷔페의 사례에서처럼, 탁월한 안목을 통해 사회에 감춰져 있는 비주류 예술가들의 작품을 세상에 알리고, 그 본연의 가치를 유지할 수 있도록 지원해 주는 큐레이션(curation)의 역할과 이를 담당했던 큐레이터에 대한 분석과 조명이 적극적으로 수반되어야 할 것이다.

3장. 아르 브뤼, 태동하다

"

많은 주류 예술가들은

요원한 문화의 '원시적인' 예술로 보이는

아르 브뤼에 매력을 느꼈다.

이는 주류 미술계에 대한 불만이,

보다 광범위한 차원에서 말하자면

두 차례 세계대전을 전후로

주류 사회에 대한 불신이 커졌기 때문일 수 있다.

"

비주류 예술의 기원을 찾아서

아르 브뤼(Art Brut)와 아웃사이더 아트(Outsider Art)로 대표되는 비주류 예술 사조의 정확한 기원을 단정하기는 쉽지 않다. 아르 브뤼 전용 미술관인 '아르 브뤼 컬렉션'(Collection de l'Art Brut)의 초대 관장 미셸 테보즈(Michel Thévoz)[5]는 비주류 예술의 시초를 16세기 이탈리아에서 유행한 마니에리스모(Manierismo)로 추정한다.

흔히 영어식 표현인 '매너리즘'(Mannerism)으로 잘 알려져 있는 마니에리스모는 1503년부터 1580년 사이에 성행한 예술 사조로, 르네상스 미술의 형식을 계승하되 자신만의 독특한 양식으로 예술작품을 창조하는 것이 특징이다. 16세기 중엽 베네치아 미술가들 사이에서는 마니에리스모가 자연의 모방을 추구하기보다는, 오히려 자연과 완전히 동떨어져 기교적이고 인위적으로 형태를 재현한다는 비판이 쏟아지기도 했다. 그러나 오늘날 마니에리스모는 미술사에서 중요한 전환점으로 평가받는다. 프랑스의 미술사학자 다니엘 아라스(Daniel Arasse)는 마니에리스모 시대에 이르러 미술의 화두가 '무엇을 재현

---

5) 미셸 테보즈는 스위스의 미술사학자이자 박물관 큐레이터, 작가, 철학자, 교수다. 1976년 장 뒤뷔페(Jean Dubuffet)가 자신이 소장하고 있던 아르 브뤼 작품들을 테보즈에게 위탁하자, 그는 스위스 로잔에 '아르 브뤼 컬렉션' 미술관을 설립하고 초대 관장을 역임했다.

하는가'에서 '어떻게 재현하는가'로 바뀌었다고 말한다. 그는 재현의 '대상' 대신 재현의 '방법'에 중점을 둠으로써, 미술이 충실한 재현을 위한 모방이 아닌, 예술가의 사상과 이데아 (idea)의 표현 수단으로 인식되는 데 마니에리스모가 큰 기여를 했다고 평가했다. 테보즈 또한 예술가의 개성을 중시하고, 전통적 표현 방식과 거리가 먼 마니에리스모에서 비주류 예술과의 연결고리를 발견했다. 그는 비주류 예술이 매우 과격한 표현의 하나로, 전통적인 공동체 사회에서는 나오기 어려울 만큼 비형식적이고 개인적인 특성을 지닌다고 보았다.

한편 미국의 아트 딜러이자 큐레이터인 제인 칼리르(Jane Kallir)는 비주류 예술의 토대를 18세기 프랑스의 계몽주의 철학자 장-자크 루소(Jean-Jacques Rousseau)가 주창한 '자연인' 이론에서 발견한다. 루소는 그의 저서 『에밀』(Émile, ou De l'éducation)을 통해 아이들이 불평등한 사회와 권위적인 교육 체계에서 벗어나, 흥미와 개성, 경험 등 자신의 '자연성'을 유지함으로써 순수하고 도덕적인 '자연인'으로 거듭날 수 있도록 가르쳐야 한다고 강조했다. 부패한 부르주아 문명을 거부하는 루소의 이러한 발상은 이후 18-19세기 낭만주의 (Romanticism)에서 20세기 모더니즘(Modernism)에 이르기까지 유럽 예술에서 반복되는 주제가 되었다.

특히 20세기 아방가르드(Avant-garde) 운동과 함께 전위 예술가들은 서구 문화를 원점으로 다시 되돌려보고자 하는 열망이 강했는데, 이는 원시주의(Primitivism)와 아동 예술(Child Art), 나이브 아트(Naïve Art) 등으로 발현되었다. 유럽권 밖의 이문화(異文化)에 대한 유럽인들의 관심은 15세기 말 크리스토퍼 콜럼버스(Christopher Columbus)의 신대륙 발견을 기점으로 한 대항해 시대에서 시작해, 19세기 후반 일본 문화를 유럽 예술에 투영한 자포니즘(Japonism)으로 이어졌다. 폴 고갱(Paul Gauguin), 바실리 칸딘스키(Wassily Kandinsky), 파블로 피카소(Pablo Picasso) 등 당시 예술가들은 전통적인 교육을 받지 못한 사람들의 작품에 눈을 돌렸고, 아시아, 오세아니아, 아프리카 지역 부족 및 기타 비서구권 문화에서 영감을 받았다. 또한 어린이, 민속 예술가, 정신질환자를 비롯해 앙리 루소(Henri Rousseau)와 같은 '소박한'(naive) 사람들의 창작물에 전례 없는 신뢰를 부여했다.

그 외에도 19세기 중반부터 20세기 초까지 유럽 사회의 저변에는 비주류 예술의 자양분이 될 여러 사회문화 현상들이 깔려있었다. 영매를 통해 사자(死者)의 영혼과 소통을 시도하는 심령주의(spiritualism), 사실주의와 자연주의의 반동으로 나타난 상징주의(symbolism)와 표현주의(Expressionism)가 성행했다. 특히 지그문트 프로이트(Sigmund Freud)의 정신분석이론을 중심으로 인간 내면의 감정과 무의식을 탐구하는 정신의학과 심리학의 시대가 도래하면서, 광기와 무의식에 대한 예술적 관심과 탐구가 증대했다. 앞서 1장에서 언급했듯이, 이 시기에는 이론상 또는 이상화된 무언가가 아닌, 실제 사회에서 존재하는 광기와 광인, 인간의 무의식을 실증적으로 고찰하기 시작했다. 그렇게 광기와 예술 간 연결고리를 분석함으로써, 관련 예술가들을 발굴하고 이들의 예술작품을 체계적으로 범주화하는 작업이 진행되었다.

정신병원, 비주류 예술의 요람

의사가 특정 목적을 두고 환자의 예술 활동에 관심을 두는 현상은 19세기에 나타났다. 이는 의사가 환자의 미술작품에 주목하고 작품을 보존·전시하기 시작한 시점으로, 비주류 예술의 초창기 흔적을 엿볼 수 있다.

의사가 환자의 창작물에 적극적인 관심을 보였던 초기 기록 중 하나는 1838년 스코틀랜드의 크라이턴 왕립 병원(Crichton Royal Hospital) 사례에 관한 것이다. 이 병원의 감독관이었던 윌리엄 브라운(William Browne)은 환자들이 시각·공연 예술, 글쓰기 등의 창작 활동을 통해 얻은 결과물을 토대로 도록을 제작했다. 이는 환자들의 오락 활동을 고무할 뿐만 아니라, 이들의 작품을 더 많은 대중에게 소개하는 발판을 마련해 주었다. 브라운은 1843년부터 1867년까지 크라이턴과 다른 병원의 환자 70여 명의 작품을 수집했고, 지역 전시회 관람 기회 제공, 병원 내 작업실 개설 등 다양한 방법을 통해 환자들의 창작 활동을 지원했다.

이후 이탈리아의 정신과 의사이자 범죄학자인 체사레 롬브로소(Cesare Lombroso)는 광기와 천재의 연관성에 관해 연구했다. 1864년 그의 저서 『천재와 광기』(Genio e Follia)는 관련 주제를 심도 있게 다룬 최초의 문헌 중 하나로 평가받는다.[6] 그의 책과 논문이 유럽에 널리 퍼지면서 관련 주제를 다룬 연구들이 쏟아져 나왔고, 많은 이들에게 환자의 예술작품을 수집하도록 영감을 불어넣어 주었다. 1890년경 롬브로소는 정신병동 환자들이 창작한 데생, 회화, 조각 등의 작품을 모아 전시를 하기도 했다. 다만 그가 환자들의 작품을 수집한 것은 작품의 심미적 가치 때문이 아니라, 그의 연구에서 정신질환자 예술로 인식되는 전형적인 특성을 설명하기 위해서였다. 광기와 천재를 연결하는 것을 지향했음에도 그는 천재 개념을

---

6) 캐나다의 미술사학자 존 맥그리거(John MacGregor)는 이 책에 대해 "예술적 천재성에 대한 대중적 개념을 형성하는 데 이보다 더 많은 기여를 한 출판물은 없다"고 평가하기도 했다. 이 책은 당시 대중적으로 엄청난 인기를 끌었다. 첫 출간 후 30년 동안 6판까지 출간되었고, 1889년, 1891년, 1894년에 각각 프랑스어, 영어, 독일어로도 번역·출판되었다.

비정상적 징후로 보았고, 환자들의 예술작품이 원시적인 정신 상태로서의 퇴행성을 보인다고 주장했다.7)

1892년, 미국의 정신과 의사 제임스 키에넌(James Kiernan) 은 그의 논문 「정신질환자의 미술」(Art in the Insane)을 학술 지 『정신분석학자와 신경학자』(Alienist and Neurologist)에 게 재했고, 같은 해 시카고 의학 아카데미8)에서 발표했다. 그는 롬브로소가 환자들의 작품에서 발견한 특성들을 수용하면서도, 천재 그 자체가 퇴행성 정신병이라는 발상에는 동의하지 않았 다. 그는 "천재는 아픈 정신의 산물이 아니다. 두 개가 공존하 는 예외적인 경우, 천재성은 건강한 나머지 부분을 보여주는 것이자, 병의 악마와의 싸움에서 보존된 부분"이라고 주장했다.

한편 프랑스에서는 빈센트 반 고흐(Vincent van Gogh)의 광 기와 더불어 고갱의 이국적 취향, 원시 예술에 대한 피카소와 야수파의 관심이 이미 융성했기에, 관련 주제에 대한 연구의

---

7) 롬브로소는 환자들이 만든 사진 작품 또는 그 제작 활동을 관찰하고, 이를 13가지 기본 특성으로 설명했다. 그는 이들 특성을 '작품의 형식, 예술가의 행동, 작품의 주제'라는 3가지 측면으로 구분했다. 형식과 관 련된 특성으로는 '섬세함(minuteness of detail), 불합리성(absurdity), 아 라베스크 양식(Arabesques), 아타비즘(Atavism), 기행(eccentricity)'이 있다. '독창성(originality), 무용성(uselessness), 균일성(uniformity), 모방 (imitation), 범죄성 및 도덕적 정신장애(criminality and moral insanity)' 는 행동과 관련된 특성들이다. 마지막으로 주제와 관련된 특성은 '광기 (insanity as a subject), 외설(obscenity), 상징주의(Symbolism)'다. 이들 중 아타비즘이 원시로의 회귀 및 퇴행과 관련된 특성이다.
8) 이는 정신병리학과 예술을 주제로 한 미국 최초의 공식 학회로 본다.

토대가 풍부하게 마련되어 있었다. 정신의학 분야에서 오귀스트 타르디유(Auguste Tardieu), 폴-막스 시몽(Paul-Max Simon) 등이 환자들의 글, 데생, 조소, 자수 작품을 병의 진단 또는 치유의 자료로서 연구했다. 특히 마르셀 레자(Marcel Réjà)[9]의 1907년 저서 『광인들의 예술』(L'art Chez Les Fous)은 환자들의 작품을 의학적 관심이 아닌, 예술적 관점에서 바라본 최초의 저술이었다. 이 책을 통해 그는 기존 연구자들보다 정신질환자에 대한 보다 다양한 관점과 예술가의 생각을 제시했다. 여기서 레자는 광인들의 창작품들을 3가지 특성으로 나누어 설명한다. 첫째는 어린이의 작품과 같은 특성을 보이는 작품이고, 둘째는 어떤 생각이나 감정을 전혀 표현하지 않는 순수하게 장식적인 작품이며, 셋째는 생각이나 감정을 상징적으로 표현하는 작품이다. 레자는 이러한 특징이 비정상적인 것이 아니라, 정상인들에게 나타나는 창조성의 초보적인 형태로 보았다.

이처럼 정신질환자 예술에 대한 의학계의 움직임이 뚜렷해지자, 유럽의 예술가들도 반응을 보이기 시작했다. 정신질환자 예술에 대한 예술가들의 관심이 주목된 최초의 사례는 1911년부터 1914년까지 독일에서 활동했던 청기사파(靑騎士派, Der Blaue Reiter)다. 바실리 칸딘스키(Wassily Kandinsky), 프란

---

9) 프랑스의 정신과 의사였던 폴 뮈니에(Paul Meunier)의 필명이다.

츠 마르크(Franz Marc), 아우구스트 마케(August Macke), 알렉세이 폰 야블렌스키(Alexej von Jawlensky), 마리안느 폰 베레프킨(Marianne von Werefkin), 가브리엘레 뮌터(Gabriele Münter), 라이오넬 파이닝어(Lyonel Feininger), 알버트 블로치(Albert Bloch) 등이 결성한 이 유파는 색상과 형태를 통해 영적 가치를 표현할 수 있다고 믿었다. 이들은 음악과 그림 간 연결뿐만 아니라, 한 감각의 자극이 하나 이상의 다른 감각에서 비자발적인 반응을 일으킬 수 있는 공감각의 개념에도 관심을 가졌다. 1912년 청기사파는 칸딘스키와 마르크의 이론 에세이와 더불어 140점 이상의 예술작품 복제본을 수록한 『청기사파 연감』(Der Blaue Reiter Almanach)을 발간했는데, 이들 작품의 대부분이 원시 예술(Primitive Art), 민속 예술(Folk Art), 아동 예술, 정신질환자 예술로 분류되었다. 이처럼 청기사파는 '미술계 밖'의 자료에 의지함으로써, 전통적인 서양 미술사 내 작품들이 지닌 특정 결핍을 해소할 수 있다는 믿음을 보여주었다.

　스위스에서는 파울 클레(Paul Klee)가 자신의 어린 시절 데생을 발견하고 그림 스타일을 바꾸기 시작하면서, 정신의학의 세계에 대한 확신을 가졌다. 그는 1912년 베른에서 정신과 의사였던 발터 모르겐탈러(Walter Morgenthaler)를 만났는데, 그는 클레에게 자신이 치료하고 있던 정신질환자 아돌프 뵐플리(Adolf Wölfli)에 대한 이야기를 들려주었다. 1864 년 스위스 베른에서 태어난 뵐플리는 7살 때 아버지가 가족을 버리고 떠난 뒤, 농장일을 도우며 생계를 유지했다. 9살에 고아원에 들어가 불우한 어린 시절과 사춘기를 보낸 그는 18 살 이후부터 범법을 일삼았고, 감옥에서 정신착란을 일으켜 1895년 베른 근교의 발다우 정신병원(Psychiatrischen Klinik Waldau)에 수용되었다. 1930년 병원에서 생을 마감하기 전까지 뵐플리는 그림, 글, 작곡 등 다양한 창작 활동에 매진했다. 특히 그는 수천 점의 삽화와 함께, 자신의 성장 과정을 25,000쪽 분량의 여행기로 재구성한 자서전을 남겨 당시 예술가들의 큰 관심과 주목을 받았다.

1921년, 모르겐탈러는 11년 동안 뵐플리를 관찰한 결과를 바탕으로 『예술가로서의 정신질환자』(Ein Geisteskranker als Künstler)라는 책을 펴냈다. 모르겐탈러는 드로잉을 중심으로 한 예술 작업이 뵐플리를 진정시키는 데 효과가 있음을 발견하고, 그의 정신질환을 치료하는 데 활용했다. 이후 1922년, 독일의 정신과 의사이자 미술사가였던 한스 프린츠호른(Hans Prinzhorn) 은 『정신질환자의 조형작업』(Bildnerei der Geisteskranken)이라는 책을 발간하기에 이른다. 이 책은 프린츠호른이 수집한 유럽 내 정신질환자들의 예술작품 수천 점[10]과 함께 이들에 대한 분석 내용을 담고 있으며, 처음부터 정신의학보다는 미학적 차원에서 접근하고 있음을 선언하고 있다. 프린츠호른의 목적은 작품의 분석·비교를 통해 창작의 메커니즘을 찾는 것이었다. 이는 단지 환자들의 생산품들 중 예술을 찾아내기만 한 레자와 모르겐탈러의 연구에서 한 단계 더 나아갔다고 볼 수 있다.

모르겐탈러와 프린츠호른의 책과 소장품 모두 전위 예술가, 초현실주의자 등 당시 유럽의 문화예술계 사람들로부터 큰 관심을 받았으며, 오늘날까지도 아르 브뤼 및 아웃사이더 아트에 있어 가장 중요하고 막대한 영향을 끼친 출판물로 평가받고 있다. 모르겐탈러와 프린츠호른은 인간의 본능적 행위 중 형상화 작업이 정신적으로 건강한 사람과 아픈 사람 모두에게 드러나지만, 이는 현대 문명의 사회적 코드에 적합하게 복종할 수 없는, 정신적으로 아픈 이들에게 특히 더 잘 나타난다고 공통적으로 말한다.

그러나 독일의 나치즘으로 인해 광인 창작자들의 천재성에 환호하는 분위기는 급전환을 맞게 된다. 우생학과 과학자들이 승리하는 시대가 되면서, 병원에서는 정신분열증 창작자들을 포함해 환자들을 죽이는 일이 발생했다. 나치들은 비주류 예술을 탄압하고, 그들의 프로파간다에 이용했다. 이들은 1937년 뮌헨에서 열린 <퇴폐미술전>(Entartete Kunst)에서 아방가르

---

10) 현재 독일 하이델베르크 대학교에 소장되어 있다.

드 예술가들과 정신질환자들의 미술 작품 700여 점을 전시하면서, 모두 미술계에서 사라져야 할 퇴폐적인 존재들로 규정했다. 독일과 오스트리아의 11개 도시를 돌며 1941년까지 계속된 이 전시회에 약 4백만 명이 방문했고, 관람객들은 나치의 프로파간다 교훈에 쉽게 경도되었다. 광기와 예술, 창조성을 향한 사유의 열정은 독일에서 시들어 갔지만, 프랑스의 수도이자 '혁명과 예술의 도시'인 파리에서 다시 꽃피우게 된다.

가장 순수한 예술, 아르 브뤼

프랑스의 화가이자 '현대미술의 거장'[11]으로 불리는 장 뒤뷔페(Jean Dubuffet)는 1901년 프랑스 르아브르의 부유한 와인 도매상 집안에서 태어났다. 1918년 파리로 이주한 뒤뷔페는 줄리안느 아카데미(Académie Julian)에서 회화를 공부했으나, 학업이 쓸모없다고 판단해 6개월 만에 자퇴했다. 그림을 그리는 것과 아버지의 와인 사업을 물려받는 것 사이에서 수년간 방황한 끝에, 그는 1942년 마흔이 넘어 평생 예술가의

---

11) 세간에 "20세기 전반은 피카소의 시대고, 후반은 뒤뷔페의 시대다"라는 평가가 있을 만큼, 뒤뷔페는 현대 미술계에서 손꼽히는 화가다. 영국의 화가 데이비드 호크니(David Hockney)는 "장 뒤뷔페는 정말 뛰어난 최후의 파리 화가다. 프랑스 회화는 뒤뷔페 이후로 그다지 변화가 없었다"고 말하기도 했다.

삶을 살아가기로 결심한다.

뒤뷔페는 주류 문화와 예술품의 생산 그 자체를 거부하면서, 급진적이고 전복적인 도전을 지속했다. 1962년에서 1974년까지 이어진 '우를루프'(L'Hourloupe) 연작, 그리고 여기에 생명을 불어넣어 만든 애니메이션 그림 공연 '쿠쿠 바자'(Coucou Bazar)가 그의 대표작으로 손꼽힌다. 무엇보다 뒤뷔페의 가장 큰 업적이자, 이들 대표작의 근간을 이루는 것은 그가 창안하고 정립한 비주류 예술 개념인 아르 브뤼다.

프린츠호른의 『정신질환자의 조형작업』을 접한 뒤뷔페는 순수한 창의성의 표현으로서, 외부 세계의 영향을 받지 않은 예술가들이 만든 원시적인 예술 작품을 설명하고자 했다. 1945년 8월 28일, 그는 스위스의 화가 르네 오베르조누와(René Auberjonois)에게 쓴 편지에서 '무명의 예술이자, 창작자 자신조차도 자각하지 못하는 예술의 형태'를 가리키는 용어로서 처음으로 아르 브뤼라는 말을 언급했다. 뒤뷔페는 아르 브뤼를 다음과 같이 정의한다.

"아르 브뤼는 예술 문화의 영향을 받지 않은 사람들이 만든 작품으로, 지식인 사이에서 일어나는 모방과 달리 모방이 거의 또는 전혀 영향을 미치지 않는 작품이다. 그렇기에 이들 작품을 제작하는 데 있어 필요한 모든 요소들(주제, 재료 선택, 이동 수단, 리듬, 패턴화 방식 등)은 고전 예술의 관습이나 현재 유행하는 예술에서가 아닌, 제작자들의 자체 자원에서 비롯된다. 여기서 우리는 가장 조잡한 예술을 발견한다. 문화 예술에서 늘 그렇듯, 우리는 이들 예술이 다른 사람을 흉내내거나 카멜레온처럼 변하는 힘이 아닌, 제작자의 창작 역량에 기반해 작품 제작의 모든 단계에서 완전히 재창조되는 것을 본다."

제2차 세계대전 직후 뒤뷔페는 이러한 유형의 예술작품들을 직접 발굴·수집하고, 그 관리와 운영을 체계화하기 위한 긴 여정을 시작했다.[12] 그는 1945년, 자신과 친분이 있던 제네바 벨에어 정신병원(Asile de Bel-Air)의 원장 샤를 라담(Charles Ladame)을 찾아갔는데, 라담은 환자들의 작품을 전시해 놓은 작은 미술관이 그곳뿐만 아니라 베른의 발다우 정신병원에도 있음을 알려 주었다. 뒤뷔페는 발다우에서 1920년 이후 잊혀졌

12) 프랑스의 미술평론가 로랑 당쉰(Laurent Danchin)은 뒤뷔페가 아르 브뤼 컬렉션을 구축·운영하는 과정을 크게 4가지 시기로 구분한다. 첫 번째는 아르 브뤼의 개념 정립 및 컬렉션 구축을 진행하는 초기 탐구의 시기(1945-1948년)다. 두 번째는 아르 브뤼 협회(Compagnie de l'Art Brut)가 결성되고 관련 활동이 추진된 시기(1948-1951년)다. 세 번째는 뒤뷔페가 미국으로 건너가 활동한 시기(1951-1962년)다. 마지막으로 네 번째는 뒤뷔페가 프랑스로 돌아와 아르 브뤼 협회를 재발족하고 컬렉션을 정착화시킨 시기(1962-1972년)다.

던 아돌프 뵐플리의 작품을 수집했고, 뒤이어 로잔에서는 자클린 포렐(Jacqueline Forel) 박사와 한스 슈텍(Hans Steck) 교수의 소개로 여성 정신질환자 알로이즈 코르바스(Aloïse Corbaz)의 작품을 접하고 그에 매료되었다.

이처럼 많은 정신과 의사들과의 교류를 통해 뒤뷔페는 환자들의 작품을 기증받을 수 있었고, 이는 훗날 뒤뷔페가 구축한 아르 브뤼 컬렉션의 핵심이 되었다. 나아가 뒤뷔페는 정신병원 밖으로도 눈을 돌려 조제프 크레팽(Fleury-Joseph Crépin), 오귀스탱 르사쥬(Augustin Lesage) 등 영매들의 작품으로까지 수집의 폭을 넓혔다. 그 결과 뒤뷔페의 아르 브뤼 컬렉션은 133명의 창작자들이 만든 예술작품 5천여 점을 수집할 만큼 성장했다. 1947년 뒤뷔페는 파리 방돔 광장에 있는 르네 드루앵 갤러리(Galerie René Drouin) 지하에 얻은 공간 '아르 브뤼의 방'(Foyer de l'Art Brut)에서 그의 아르 브뤼 컬렉션을 공개했다. 이곳에서 크레팽과 코르바스, 그리고 스페인 반군 혁명가 출신인 미구엘 에르난데스(Miguel Hernández)의 전시가 차례로 개최되었다.

1948년에 뒤뷔페는 장 폴랑(Jean Paulhan), 앙드레 브르통(André Breton), 찰스 래튼(Charles Ratton), 미셸 타피에(Michel Tapie), 앙리-피에르 로세(Henri-Pierre Roche) 등 다른 예술가들과 함께 아르 브뤼 관련 연구 및 큐레이팅의 구심점으로서 아르 브뤼 협회(Compagnie de l'Art Brut)을 결성하고, 예술가 슬라브코 코파치(Slavko Kopač)를 이 협회의 큐레이터로 지정했다. 1949년 르네 드루앙 갤러리에서 첫 아르 브뤼 전시회가 열렸고, 63명의 작가들이 제작한 200여 점 이상의 아르 브뤼 작품들이 선보였다. 뒤뷔페는 이 전시회의 카탈로그에 「문화적 예술보다는 아르 브뤼를」(L'Art brut préféré aux arts culturels)이라는 제목의 선언문을 게재하고, 한층 심화된 비주류 예술에 대한 정의를 제시했다. 그는 아르 브뤼가 "예술적 문화에 의해 해를 입지 않은 사람들이 제작한 작품들"임을 밝히면서, 아르 브뤼 작가들이 주제, 재료의 선택, 서술 방법 등 모든 면에 있어 고전미술이나 현재 유행하고 있는 미술의 상투적인 방법이 아닌, 자신의 고유한 바탕에서 끌어낸다는 점을 지적한다. 즉, 작가 자신의 고유한 충동에서만 시작되어 스스로 전 단계를 창작해 내는 아르 브뤼가 문화의 틀 안의 작품들보다 순수하고 원초적인 예술 활동임을 선언한 것이다.

그러나 이러한 노력에도 불구하고, 아르 브뤼 협회는 해산될 위기에 봉착한다. 당시 협회는 회원들의 비적극적인 활동과 이들 간 견해 차이,[13] 인력 및 자원 부족, 만성 적자 상황 등 여러 위기에 직면해 있었다. 1951년 아르 브뤼 협회가 해산되기

---

13) 뒤뷔페는 브르통이 초현실주의의 '거대한 문화 기계'로 아르 브뤼를 흡수시키려 한다고 비난했다.

직전, 미국의 예술가 알폰소 오소리오(Alfonso Ossorio)는 뒤뷔페에게 아르 브뤼 컬렉션 작품들을 뉴욕 인근 이스트햄프턴에 위치한 그의 집에 일시적으로 보관하자고 제안했다. 결국 뒤뷔페는 프랑스에서의 모든 활동을 중단하고, 아르 브뤼 협회를 해산한 후 뉴욕으로 컬렉션을 옮겼다. 1962년 파리로 반환되기 전까지, 아르 브뤼 컬렉션은 미국에서 이전의 위기를 극복하고 내실을 다지는 계기를 마련하게 된다. 미국에 체류하는 동안 뒤뷔페는 시카고 미술관(Art Institute of Chicago)에서 '반문화적 입장'(Anti-cultural Positions)이라는 제목의 강의를 통해, 서구 문화가 진정한 창의성을 억압한다고 비판하기도 했다.

1962년 2월, 아르 브뤼 컬렉션은 뒤뷔페가 컬렉션 보관 장소이자 연구소로 준비한 파리 세브르 가의 건물로 옮겨졌다. 이 건물은 일반에게는 공개되지 않고, 아르 브뤼에 대해 특별한 관심을 가진 방문객에게만 개방되었다. 아르 브뤼 컬렉션의 초대 큐레이터였던 코파치는 다시 큐레이터이자 기록연구사로서 컬렉션을 관리했다. 같은 해 7월, 아르 브뤼 협회가 재결성되면서 100명이 넘는 회원들이 아르 브뤼 작품을 발견·수집하는 데 전념했다. 계속된 구입과 기증으로 아르 브뤼 컬렉션 작품의 수가 늘어났고, 1964년부터는 정기 간행물 『아르 브뤼』(L'Art Brut)도 펴내기 시작했다.14) 이 간행물의 창간호부터 제8호까지는 뒤뷔페가 직접 쓴 아르 브뤼 작가들의 삶과 작품에 대한 글들로 구성되어 있다. 1967년에는 뒤뷔페의 아르 브뤼 컬렉션에서 선정된, 75명의 예술가들이 만든 작품 700여 점이 파리 장식미술관(Musée des Arts Décoratifs)에서 전시되었다. 뒤뷔페는 「반시민주의에 기회를」(Place à L'incivisme)이라는 제목으로 이 전시회 카탈로그의 서문을 썼다.

이러한 활동 중에도 뒤뷔페는 아르 브뤼 컬렉션의 확실한 장래와 발전을 위해, 컬렉션의 공적인 기능을 유지시켜 줄 공공 단체를 찾고 있었다. 그는 자신이 보유한 스위스 내 인맥을 활용해, 아르 브뤼 컬렉션을 수용하고 미술관, 또는 소규모라도 일반에 개방될 수 있는 연구소를 설립해 줄 도시를 스위스에서 찾고자 했다.

1971년, 마침내 스위스의 문화 중심도시인 로잔과 합의를 이루게 된 뒤뷔페는 작가 133명의 작품 4,104점으로 구성된 아르 브뤼 컬렉션을 로잔에 양도했다. 로잔 시는 이 컬렉션의 보존, 관리, 상설 전시를 보장하는 동시에, 18세기에 지어진 볼리외 성(Château de Beaulieu)을 컬렉션을 위해 개축하겠다고 약속했다. 이후 1976년 2월 26일, 아르 브뤼 컬렉션의 공식적인 낙성식이 로잔에서 열렸다. 뒤뷔페의 바람대로 스위스의 컬렉션은 '묘지화된 미술관'에 작품을 일괄적으로 가두어 두

---

14) 『아르 브뤼』는 오늘날까지도 지속적으로 발간되고 있다.

는 것이 아닌, 정기적인 전시회 개최를 통해 컬렉션을 활성화하는 방안을 채택했다. 또한 수집가, 기업, 정신과 의사 등이 소장했던 작품들을 기증받아, 로잔으로 이전한 후에는 컬렉션 작품 수가 2만 점에 달하게 되었다.[15] 뒤뷔페는 1985년 사망할 때까지 지속적으로 아르 브뤼 컬렉션의 정신적·재정적 지원을 아끼지 않았다.

뒤뷔페는 아르 브뤼가 자신의 예술에 중요한 영감을 주었다고 생각했다. 그는 아르 브뤼가 주류 문화에 동화되거나 영향을 받는 데 있어 면역이 된, 보다 순수하고 진실되면서 진정성 있는 감정의 표현이라 믿었다. 뒤뷔페는 아르 브뤼에서 본 어린아이 같은 순진함(naiveté)을 모방하려고 시도했다. 하지만 그가 예술 아카데미에서 그림을 배웠다는 점, 스스로 예술가임을 자각했다는 점, 주류 미술계에 대한 지식을 보유했다는 점 등을 감안하면 많은 미술사가들의 주장처럼 그를 비주류 예술의 범주 안에 포함시켜서는 안될 것이다. 그보다 뒤뷔페의 작품은 원시주의, 유사 나이브 아트(Pseudo-naïve Art), 모조 나이브 아트(Faux Naïve Art)로 정의될 수 있겠다.

---

15) 아르 브뤼 컬렉션의 수적인 확장은 철저한 원칙에 따라 검토·진행되었다. 예컨대 1975년 컬렉션이 로잔으로 이전한 즈음에 컬렉션의 확대에 대한 의문이 제기되자, 논의 끝에 뒤뷔페는 컬렉션의 질적 저하를 방지하기 위해 컬렉션의 양적 확대를 일시적으로 중지시켰다.

왜 주류 예술가들은 아르 브뤼에 주목했는가

20세기 전반에 아르 브뤼에 대한 관심이 높아지게 된 데에는 다양한 요인들이 있다. 많은 주류 예술가들은 요원한 문화의 '원시적인' 예술로 보이는 아르 브뤼에 매력을 느꼈다. 이는 주류 미술계에 대한 불만이, 보다 광범위한 차원에서 말하자면 두 차례 세계대전을 전후로 주류 사회에 대한 불신이 커졌기 때문일 수 있다. 당시 서구 예술가들은 기술적·산업적·합리적 '진보'의 경로를 중심으로, 널리 전파된 이데올로기가 야기한 엄청난 파괴와 격변을 목도했다. 더불어 이 시대의 사람들은 정신질환, 장애, 범죄 경향 등 바람직하지 않은 특성을 제거함으로써 일반 대중의 삶의 질을 향상시킬 것을 주장하는 우생학을 포함해, 사회 철학을 비극적이고 비인간적으로 구현하는 사례들을 목도했다.

제2차 세계대전 기간 동안 자행된 여러 잔학행위로 인해 다수의 사람들, 특히 예술가들은 예술계 안팎 모두에서 거대이론 및 이데올로기에 회의적이었고 이를 경계하게 되었다. 많은 예술가들은 비합리적인 것을 기리고, 사회에서 소외된 개개인에게 도움을 청함으로써 타인과 주변 세계를 이해하고, 관계를 형성하며, 이들을 대변하는 다양한 방식에 있어 새로운 영감의 원천을 제공할 수 있기를 바랐다. 이렇게 주류 밖 예술을 기념하는 것은 예술가들이 정치적 불의에 맞서 '싸우는' 대안적인 방법이었다. 영국의 예술가이자 작가인 데이비드 맥라간(David Maclagan)이 주장한 것처럼, "아르 브뤼는 모더니즘의 광범위하고 전형적인 특징, 즉 기존 문화에서 벗어난 것으로 간주되는 영역 내 새롭고 독창적인 형태의 창의성 추구를 지속·강화하는 것이라 볼 수 있다."

동시에 예술계의 많은 사람들은 '미친 천재'(mad genius)라는 낭만적인 개념을 가지고 지속적으로 활동했다. 일반적으로 '천재-광기' 이론('genius-insanity' theory)으로 불리는, 독일 철학자 아르투어 쇼펜하우어(Arthur Schopenhauer)가 표현한 것처럼 "천재성은 평균 지능보다 광기에 가깝다"는 이러한 발상은 아리스토텔레스 시대까지 거슬러 올라간다. 이는 르네상스 시대에 일반적인 사상으로서 널리 퍼져나가 낭만주의 시대에 정점에 달했고, 미친 천재에 대한 이러한 집착의 결과 예술가들은 정신병원에 관심을 돌리게 되었다. "정신질환자가 예술을 할 수 있는가?"라는 질문에 대한 답을 찾고자 이들은 정신병원을 자주 방문해 작업 중인 미친 예술가에 대한 관찰 결과를 기록했다. 존 맥그리거(John MacGregor)가 쓴 글에서처럼, "예술가들은 정신 장애로 인해 예술에 관여한 적 없는 개인이 이미지를 만들고 그림을 그리려는, 설명할 수 없는 성향을 갖게 되었다는 사실에 주목하기 시작했다." 20세기 내내 '천재의 광기'라는 개념은 지속되었고, 이는 창의적인 예술가를 사회적으로 소외된 존재로 보는 대중 인식을 조성하는 데 기여했다. 사회가 저지른 과오가 궁극적으로 정신 질환을 유발하는 경우가 너무 많기 때문에, 어쩌면 이는 잘못된 조사 결과일 수도 있다.

아르 브뤼, 특히 '정신적 불균형'에 대한 관심의 증가는 정신의학 분야와 미술치료 영역이 동시적으로 발전함으로써 그 덕을 보았다. 모르겐탈러와 프린츠호른처럼 정신질환 및 인지 장애 환자들을 관리했던 의료 전문가들은 환자의 예술 작품을 질병과 장애의 본질에 대한 통찰력을 제공할 수 있는 잠재적인 단서로, 또는 최소한 이들 고통의 근원을 구분하고 범주화할 수 있는 방식으로 삼았다. 이로 인해 많은 의사들이 환자의 창작물을 버리는 대신 수집·분석하기 시작했고, 이들 중 상당수가 공공 영역에서 선보이면서 여기에서 영감을 얻고자 하는 주류 예술가들의 손에 닿게 되었다. 이에 대해 맥그리거는 다음과 같이 말한다. "이 새로운 유형의 이미지들을 해석하는 의사들이 너무 큰 영향력을 미치면서, 일반 대중이 처음 이들 이미지를 수용하는 방식을 일정 부분 정해버렸다. 그럼에도 원시 예술의 경우와 마찬가지로, 창의적인 예술가는 이러한 이미지를 자신만의 독특한 방식으로 바라보았다."

4장. 아웃사이더 아트, 피어나다

"

아르 브뤼에 대한 뒤뷔페의 '금욕주의 철학'은
미국에서 큰 호응을 얻지 못했다.
뒤뷔페는 아르 브뤼를 억압적인 사회 규범에 대한
의도적인 거부로 해석했지만,
대부분의 미국인들은 유럽 지식인들 사이에 팽배했던,
현대 문명에 대한 뿌리 깊은 불신을 공유하지 않았고
창의성을 정신질환과 연관시키는 경향도 적었다.
미국에서는 독학 예술가들이
'개인주의, 독창성, 민주적 평등주의'와 같은
미국의 전형적인 가치를 구현하는 것으로 간주되었다.

"

진화한 아르 브뤼, 아웃사이더 아트

프랑스로 돌아온 장 뒤뷔페(Jean Dubuffet)가 아르 브뤼 협회(Compagnie de l'Art Brut)를 재발족하면서 아르 브뤼 컬렉션(Collection de l'Art Brut)이 착근화되던 1970년대에, 아르 브뤼(Art Brut)로 대표되던 비주류 예술은 진화와 발전의 계기를 맞게 된다. 이 시기는 사회 각 계층에서 언더그라운드 운동이 우후죽순처럼 일어난 '반문화의 시대'였고, 이러한 시대의 분위기 속에서 아르 브뤼는 그 개념적 범위를 확장하게 되었다.

1972년, 영국의 예술학자이자 켄트 대학교 교수였던 로저 카디널(Roger Cardinal)은 불어식 용어인 '아르 브뤼'에 상응하는 영어 표현을 찾아 '아웃사이더 아트'(Outsider Art)라는 용어를 고안했다. 뒤뷔페가 아르 브뤼를 묘사한 것처럼, 카디널은 아웃사이더 아트를 정식 예술교육을 받지 않은 '독학 예술가'(self-taught artist)가 생산한 창의적인 작품으로서, 전통적·학문적 예술 관례를 따르지 않고 '강한 개성'을 전달하는 예술작품이라고 설명했다.

뒤뷔페와 카디널 모두 아르 브뤼와 아웃사이더 아트가 정신분열증 등의 정신질환을 앓고 있는 예술가들과 연관되는 경향을 보였다. 그러면서 '예술이 필연적으로 공동체가 인정하는 기준에 따라 공개적으로 정의된 활동이라는 생각을 토대로, 자신에게 주어진 사회 생활을 감당할 수는 있지만 (무)의식적으로 움츠러드는 (어린이와 사회적 은둔자를 포함한) 개인'의 예술까지 포함한다고 명시했다. 그러나 예술가의 범위에 있어 주로 정신병원이나 수용소에서의 예술에 초점을 맞춘 아르 브뤼에 비해, 아웃사이더 아트는 정식 예술교육을 받지 않은 모든 창작자들에게 적용됨으로써 훨씬 광범위하고 포괄적인 비주류 예술 개념이다.

카디널에 따르면, 아웃사이더 아트의 활용 범위는 예술 제작이 공공 갤러리, 교육기관 및 문화적으로 두드러진 예술 제작의 세계를 훨씬 넘어서는 광범위한 인간 활동이라는 개념에 달려 있다. 그는 '아웃사이더'로서의 예술가들이 만든 작품은 관객들에게 '스릴 넘치는 시각적 경험'을 선사하는 것과 더불어, '예술 제작 자체의 반관습적 성격과 그 특이성, 종종 발생하는 예술 규범 및 평범한 경험과의 비세속적인 거리감'에 초점을 맞춰야 한다고 주장했다.

기실 아웃사이더 아트 개념과 함께, 1970년대 아르 브뤼의 지형도를 바꾸어 놓는 계기가 된 것은 프랑스와 영국에서 열린 두 전시였다. 하나는 '예술의 특이한 경우들'(Les singuliers de l'art)이라는 제목으로, 1978년 파리 시립근대미술관(Musée d'art moderne de la ville de Paris)에서 열린 전시회였다. 이

전시에서는 독학 예술가 54명의 작품 수백 점이 소개되었는데, 대다수가 뒤뷔페의 아르 브뤼 컬렉션에 속하지 않은 작품들이었다. 사진, 시청각 작품, 설치 작품뿐만 아니라 13개의 환경 작품(art d'environement)까지 포함된 이들 전시 작품의 대부분은 프랑스의 건축가 알랭 부르보네(Alain Bourbonnais)의 컬렉션에서 나왔다. 부르보네는 건축가로 활동하면서 주말이면 별장에서 에로틱한 카니발 인물들을 제작하는 은밀한 취미를 가지고 있었다. 또한 대중 예술(art populaire)을 좋아해 1960년경부터 아르 브뤼도, 뒤뷔페도 전혀 모르는 상태에서 관련 작품들을 수집하기 시작했다. 처음에는 시장, 노점에서 파는 창작품들에 관심을 가지고 모으다가 점점 기이한 작품들을 발견해 갔다.

1971년 부르보네는 우연히 뒤뷔페가 아르 브뤼 컬렉션을 로잔에 기증했다는 소식을 듣고 뒤뷔페를 찾았다. 뒤뷔페의 후원과 조언대로 파리에 아틀리에를 열었고, 이후 10년간 파리에서 유일하게 아르 브뤼 예술가들과 유사한 창작자들을 소개하는 장소를 운영했다. 그러나 이들 새로운 비주류 창작자들의 예술을 지칭하는 말로서 아르 브뤼는 적절치 않았다. 아르 브뤼는 이미 뒤뷔페 컬렉션의 이름처럼 여겨지고 있었고, 컬렉션은 여전히 뒤뷔페의 감시 하에 유지되고 있었기 때문이었다. 뒤뷔페는 부르보네에게 '규범 밖 예술'(art hors-les-normes)이라는 용어를 제안했는데, 결과적으로 해당 작가들의 작품은 '아르 브뤼'라는 이름보다는 '규범 밖 예술', 또는 '특이 예술'(art singulier)이라는 두 가지 각기 다른 이름을 달게 된다.

한편 시장의 수요가 거의 없었기에, 파리에 열었던 부르보네의 갤러리는 1982년 문을 닫았다. 그는 디시에 있는 시골집으로 거처를 옮겼는데, 오히려 이곳에 작가들이 작품을 들고 찾아오기 시작했다. 이듬해인 1983년, 그의 집은 '라 파블로즈리'(La Fabuloserie)라는 이름의 사립 미술관으로서 대중에게 공개된다. 이곳에 모인 작가들은 그들이 아르 브뤼 작가들과 구별된다고 믿었다. 즉, 자신들은 고립되거나 고독한 상태에서 작품을 만드는 것이 아니라 삶과 행복, 사랑을 즉흥적으로 이야기한다는 것이다. 자신들이 예술가라는 인식도 분명히 가지고 있고, 동료들과 소통하기를 즐긴다는 점은 아르 브뤼 예술가들과 구별되는 특성이었다.

또 하나의 전시는 1979년 런던 헤이워드 갤러리(Hayward Gallery)에서 열렸던 '아웃사이더: 전례 또는 전통 없는 예술'(Outsiders: An Art without Precedent or Tradition)이었다. 이 전시에서는 한스 프린츠호른(Hans Prinzhorn)부터 부르보네의 컬렉션에 이르기까지, 유명 아르 브뤼 예술가 12명과 프랑스 특이 예술 작가 7명의 작품들을 선보였다. 이미 1972년에 카디널이 아르 브뤼에 관한 책을 저술하면서 아르 브뤼를

‘아웃사이더 아트’라는 영어 이름으로 번역했고, 이것이 널리 통용되고 있었다. 아웃사이더 아트가 원래의 아르 브뤼 개념보다 더 넓고 유연한 개념으로 받아들여졌기에, 이는 아르 브뤼와 특이 예술 모두 끌어안기에 적절한 명칭이었다. 달리 말하면 1980년대에 아르 브뤼 개념은 두 개의 축을 중심으로 크게 확장되어, 비주류 예술의 광범위한 영역을 포괄하고 있었다. 한 축은 ‘순수한 아르 브뤼, 역사적 아르 브뤼’라 할 수 있는 것으로서 정신의학의 흐름, 특히 미술치료와 관련된 영역을 다룬다. 다른 축은 ‘특이 예술, 규범 밖 예술’이라 불리던 당대의 독학 예술가들이었다.

로잔의 ‘아르 브뤼 컬렉션’ 미술관의 초대 관장 미셸 테보즈(Michel Thévoz)는 이러한 흐름에 발맞춰 신진 작가들을 발굴·소개하기 시작했다. 아르 브뤼는 뒤뷔페 컬렉션 이전에도, 뒤뷔페 컬렉션 밖에서도 그 존재를 증명해 나갔다. 1990년대 세계적으로 미술치료 열풍이 불면서, 로잔의 ‘아르 브뤼 컬렉션’ 미술관은 여러 협력기관들과 함께 일하며 컬렉션의 일부를 대여하기도 했다. 이에 따라 아르 브뤼는 뒤뷔페의 엄격한 정의에서 벗어나 보다 많은 것을 지칭하는 개념이 되었는데, 여기에 결정적인 역할을 한 용어가 ‘아웃사이더 아트’다.

1972년 카디널이 동명의 제목을 가진 자신의 저서 『아웃사이더 아트』(Outsider Art)에서 아르 브뤼를 ‘아웃사이더 아트’로 번역했을 때는 뒤뷔페의 이론적 견해와 정확히 같은 의미에서 이를 사용했다. 그러나 1979년 ‘아웃사이더: 전례 또는 전통 없는 예술’ 전시를 기획하면서 카디널은 뒤뷔페에게서 벗어나기 시작한다. 그는 로잔의 컬렉션이 너무 엄격한 아르 브뤼 정의를 보여준다고 보고, 좀더 유연한 원칙을 적용하길 원했다. 이때부터 아웃사이더 아트는 아르 브뤼보다 광의의 개념으로 발전하게 되었다.

아르 브뤼는 예술가들이 스스로를 식별하는 운동이 아니라, 주류 예술계 및 관련 기관과 거의 또는 전혀 접촉하지 않은 독학 창작자들에게 역사학자, 비평가, 수집가들이 사후에 부여한 꼬리표다. 이에 대해 존 맥그리거(John MacGregor)는 “근본적인 통일성이나 공통의 목적이 없는, 완전히 이질적인 이미지와 예술가의 모음”이라고 설명한다. 나아가 데이비드 맥라간(David Maclagan)은 “이제 아웃사이더 아트의 스펙트럼은 너무 넓어, 재료 선택의 측면에서 우리에게 특별하다고 생각되는 점을 제외하고는 뚜렷한 공통의 특징을 찾기가 어렵다. 그리고 그 내용은 갑자기 만들어진 듯하다”라고 말한다. 실제로 이러한 작품은 독특하게 타고난 진정성, 또는 ‘순수함’을 보유한 개인화된 정신의 표현으로 여겨진다.

비주류 예술의 또다른 발상지, 미국

　20세기 초 유럽의 정신의학에서 태동한 비주류 예술은 한 세기 넘게 성장과 발전을 거듭해 왔다. 아르 브뤼와 아웃사이더 아트라는 양대 축을 중심으로 이들이 정착과 체계화의 과정을 거칠 수 있었던 데에는 유럽과 더불어, 비주류 예술의 또다른 발상지인 미국의 기여가 있었다. 불과 수백 년의 짧은 역사를 보유한 국가, 원주민이었던 아메리카 인디언들을 몰아내고 종교적 신념과 경제적 부를 좇아온 다양한 이민자들이 세운 국가, 아프리카에서 데려온 흑인 노예들을 착취해 국가 발전을 이룩한 국가였던 미국은 두 차례 세계대전의 승전국이 되면서 전 세계를 군림하는 초강대국으로 급부상하게 된다. 이러한 미국의 역사적·사회적 배경은 예술계에 녹아들어갔고, 비주류 예술 또한 유럽과는 다른 방식으로 미국사회에서 자리를 잡았다. 예컨대 유럽인들은 원시주의(Primitivism)를 전통 문화나 아카데미즘에 대한 '안티 테제'(antithese)로서 탐구한 반면, 미국인들은 원주민의 공예품이나 개척자의 민속 예술(Folk Art) 등을 통해 문화 옹립의 지렛대로 활용했다. 미국은 카디널의 아웃사이더 아트 개념처럼 비주류 예술을 보다 넓게 보고자 했으며, 이에 따라 그 하위 개념들도 다채롭게 양산되었다.

앞서 살펴보았듯이, 예술에 있어 '비학문적인 역할 모델'에 대한 뒤뷔페의 선택은 전임 모더니스트들의 경우보다 훨씬 더 좁은 범위로 제한되었다. 민속 예술은 그의 기준을 충족시키기에는 너무 보수적이고, 기존의 미적 공식을 복제하는 데 지나치게 전념했다. 부족 예술(Tribal Art) 또한 지나치게 규칙에 묶여 있었다. 기쁨을 주기 위해 동기를 부여받은 아이들은 그들의 삶에서 어른들의 영향을 너무 많이 받았다. '소박한 사람들'(naives)은 훈련을 받지 않았음에도 관습적으로 사회화되어 있었고, 적어도 잠재의식적으로는 확립된 관행을 인식하고 있었다. 카디널의 표현대로 진정한 아르 브뤼는 '완전한 소외의 태도'로 구별된다.16) 이상적으로 이러한 창작자들은 자신을 예술가라고 생각하거나, 외부의 승인을 구하거나, 예술 자체에 대한 인식을 가져서는 안 된다. 당연히 정신 질환을 앓고 있는 사람들은 뒤뷔페가 택한 최초의 예술가들 사이에서 두드러진다. 영매, 소외된 개인, 은둔자의 작품들도 아르 브뤼에 해당될 수 있다.

하지만 아르 브뤼에 대한 뒤뷔페의 '금욕주의 철학'은 미국에서 큰 호응을 얻지 못했다. 뒤뷔페는 아르 브뤼를 억압적인

---

16) 카디널은 아르 브뤼를 논하는 데 있어 임상적인 의미가 아닌, 외부 현실로부터의 완전한 이탈을 불러일으키고자 '자폐적인'(autistic)이라는 형용사를 반복적으로 사용한다.

사회 규범에 대한 의도적인 거부로 해석했지만, 대부분의 미국인들은 유럽 지식인들 사이에 팽배했던, 현대 문명에 대한 뿌리 깊은 불신을 공유하지 않았고 창의성을 정신질환과 연관시키는 경향도 적었다. 미국에서는 독학 예술가들이 '개인주의, 독창성, 민주적 평등주의'와 같은 미국의 전형적인 가치를 구현하는 것으로 간주되었다. 또한 '일반인'(common man)에 대한 뒤뷔페의 인식은 부르주아와 프롤레타리아를 대립시키는 엄격한 유럽 계급 제도에 의해 형성된 반면, 미국의 큐레이터 홀거 케이힐(Holger Cahill)이 19세기 민속 공예와 회화를 '일반인의 예술'이라고 언급했을 때는 말 그대로 '모든 사람'을 의미하는 것이었다.

2차 세계대전 이후 패권국이 된 미국은 유럽에 대한 '문화적 열등감'에서 해방되었고, 예술의 중심은 파리에서 뉴욕으로 이동하게 된다. 1929년 설립된 뉴욕 현대 미술관(MoMA, Museum of Modern Art)은 독학 예술가들을 중심으로 다양한 전시를 기획함으로써 비주류 예술을 대중에게 적극적으로 선보였다. MoMA의 초대 관장인 알프레드 바 주니어(Alfred H. Barr Jr.)는 1938년 개최한 독학 예술가 전시회의 제목을 '대중 회화의 거장들'(Masters of Popular Painting)로 명명했다. 당시에 그는 독학 예술가들의 작품이 모더니즘의 기본 원칙에 부합할뿐만 아니라, 보다 도전적이고 혁신적인 유럽식 아방가르드에 익숙지 않은 국내 대중들에게 용이한 진입점이라고 생각했다. 1941년 MoMA는 영구 컬렉션을 위해 헌정한 첫 번째 갤러리를 개관했는데, 이때 작품의 선택 요건은 독학 화가들의 작품으로 제한되었다. MoMA 미술관 회보에는 '현대의 원시인들'(modern primitives)[17]이 훈련 받은 미국의 여타 화가들보다 "특성상 보다 국제적"이며, 이들 모두가 "일반인의 솔직하고, 소박하며, 설득력 있는 비전을 표현한다"는 점에서 보다 민주적이라는 전제 지침(guiding premise)이 제시되었다.

이처럼 독학 예술가들은 제2차 세계대전 이전에 미국에서 전례 없는 수준의 제도적 지원을 받았다. 그러나 불행히도 이는 정규 교육을 받은 예술가들 사이에서 적개심과 분노를 일으켰다. 이들은 자격이 부족한 경쟁자로부터 자신들이 밀려났다고 느꼈고, 이러한 갈등은 미국의 예술적 정체성에 대한 지속적인 논쟁을 야기했다. 더불어 1945년 이후 미국에 세계 초강대국으로서의 새로운 역할에 걸맞은 국가적 예술이 필요하게 되면서, 미국사회는 '과연 미국만의 독특한 예술이 존재하는가?'에 대한 명확한 답변을 요구하기 시작했다. 결국 유럽 등 해외 미술의 아류가 아닌 첫 '국산 미술'로서 추상표현주의(Abstract Expressionism)가 대두되었고, '현대의 원시인들'은

---

17) '소박한 사람들'(naives)의 미국식 유의어로 볼 수 있다.

추상표현주의자들로 대체되었다. MoMA를 비롯해 뉴욕의 휘트니 미술관(Whitney Museum of American Art)과 메트로폴리탄 미술관(Metropolitan Museum of Art), 그외 주류 미술관들은 독학 예술가들의 작품을 조용히 보관소로 옮겼다.

이후 독학 예술가들의 작업은 전문 기관의 소관이 되었다. 1930년대부터 민속 예술 작품들을 수집해온 콜로니얼 윌리엄스버그(Colonial Williamsburg) 재단[18]는 1957년에 애비 앨드리치 록펠러[19] 민속 미술관(Abby Aldrich Rockefeller Folk Art Museum)을 건립했다. 또한 1961년 뉴욕의 미국 민속 미술관(American Folk Art Museum)이 문을 열었다. 현대적 취향에 맞춰 두 미술관 모두 초창기에는 초기 미국 자료를 선호했다. 1974년 휘트니 미술관에서 '미국 민속 예술의 전성기'(The Flowering of American Folk Art)라는 제목으로 실시한 설문조사에는 20세기 작품들이 전혀 포함되어 있지 않다. 휘트니 미술관의 큐레이터였던 앨리스 윈체스터(Alice Winchester)는 "미국의 민속 예술은 건국 초기에 꽃피워, 1800년대의 마지막 분기에 쇠퇴하기 시작했다"고 말했다. 윈체스터와 같은 학자들은 산업

---

18) 버지니아 주 윌리엄스버그 시 역사 지구의 일부를 전시하는, 살아있는 역사 박물관이자 민간 재단이다.
19) 뉴욕 현대미술관 설립자 중 한 명으로, 존 록펠러 주니어(John D. Rockefeller, Jr.)의 배우자이자 예술 애호가, 미국 사회주의자, 자선가였다.

화 이전 규범을 중심으로 한 기준을 토대로, 현대 민속 예술이 존재하지 않는다고 정의했다.

그럼에도 미국의 많은 독학 예술가들은 20세기에도 계속해서 작품들을 창작했다. 허버트 햄필 주니어(Herbert W. Hamphill Jr.), 그리고 그의 친구 마이클 홀(Michael Hall)과 줄리 홀(Julie Hall) 부부와 같은 미술계의 '이단아들'(mavericks)은 이러한 작품들을 수집하고자 미국 전역을 여행했다. 미국 민속 미술관의 창립 이사이자 최초의 큐레이터였던 햄필은 1970년에 개최한 전시 '20세기 미국 민속 예술과 예술가들'(Twentieth-Century American Folk Art and Artists)을 통해 관련 영역에서 새로운 지평을 열었다. 그로부터 4년 후, 그와 줄리아 와이즈만(Julia Weissman)은 뒤뷔페의 아르 브뤼 패러다임에 보다 밀접하게 부합하는 동명의 책을 공동 집필하게 된다. 이 책에는 오리 미끼, 풍향계와 같은 전통적인 민속물품들을 비롯해 모리스 허쉬필드(Morris Hirshfield)와 그랜마 모지스(Grandma Moses) 등 '소박한 사람들'이 그린 작품들, 정신질환자이자 독학 예술가였던 마틴 라미레즈(Martín Ramírez)의 작품들이 실려 있다.

1990년 초까지 민속 예술은 학문적 주류의 밖에서 창작된, 미국의 다양한 예술작품들을 포괄하는 범주로서 존재해왔다. '민속'(folk)이라는 용어는 1982년 워싱턴 D.C.에 있는 코코런 갤러리(Corcoran Gallery)가 개최한 전시 '미국의 흑인 민속 예술, 1930-1980'(Black Folk Art in America, 1930-1980)을 비롯해, 미술계 내 여러 설문조사들의 제목에 등장했다. 하지만 그러는 사이에 전통적인 민속학자들은 미술계의 군중이 자신들의 영역을 강탈하는 것에 반발하기 시작했다. 미국의 민속학자 존 마이클 블라크(John Michael Vlach)는 '민속 집단'(folk group)을 '인종, 종교, 장소, 직업에 대한 관심을 공유하면서, 공유된 관심사로 결속되어 비슷한 생각을 보유한 비교적 작은 공동체'로 정의할 수 있다고 보았다. 그는 진정한 민속 예술은 "지역의 관습에 기반해, 공유된 경험을 통해 대대로 전승"된다고 했다. 이러한 기준으로 본다면 초기 미국 초상화를 그렸던 초상화가들(limners)을 비롯해, 대부분의 독학 예술가들이 그린 작품은 민속적 표현과 대척점에 놓이게 된다.

첫 번째 아웃사이더 아트 페어에 전시된 예술품 가운데, 앞서 언급한 카디널의 책 『아웃사이더 아트』에 명시된 기준에 부합하는 작품은 상대적으로 적었다. 이 페어에서는 모리스 허쉬필드와 그랜마 모지스를 비롯해 클레멘타인 헌터(Clemen-tine Hunter), 존 케인(John Kane), 매티 루 오켈리(Mattie Lou O'Kelley), 해리 리버만(Harry Lieberman), 말카 젤디스(Malcah Zeldis) 등 풍경, 정물, 누드, 인물과 같은 전통적인 주제를 다룬 1세대, 2세대, 3세대 나이브 아티스트들이 드문드문 눈에 띄었다. 그러나 흑인 민속 예술 전시회의 경우 수집가들에게 주된 영향을 미쳤으며, 초창기 아웃사이더 아트 페어 예술가들 중 상당수가 이 전시에 참가했다.[20] 이들 아프리카계 미국인 예술가는 민속에 대한 블라크의 정의에 부합되지 않을 만큼 독특했지만, 그럼에도 그들은 풍부한 영적·문화적·사회적 경험을 활용했다. 다만 '아웃사이더'라는 라벨이 흑인 예술가들의 맥락적 중요성을 의도적으로 무시함으로써, 부정확하고 공격적인 백인 유럽인 중심의 관점을 반영했다는 점에서 비판을 받기도 한다.

1992년 로스앤젤레스 카운티 미술관(LACMA, Los Angeles County Museum of Art)에서 열린 전시 '평행 비전: 현대 예술가와 아웃사이더 아트'(Parallel Visions: Modern Artists and Outsider Art)는 미국의 '아웃사이더'라는 독특한 계층을 지칭하려는 최초의 학문적 시도였다. 큐레이터들은 뒤뷔페의 기준을 토대로, 라미레즈를 비롯해 헨리 다거(Henry Darger), 하워드 핀스터(Howard Finster), 존 부니언 머레이(John B. Murray), 펄리 웬트워스(Perley Wentworth)와 같은 예술가들에게 남다

---

20) 데이비드 버틀러(David Butler), 샘 도일(Sam Doyle), 윌리엄 에드먼슨(William Edmondson), 거트루드 모건(Gertrude Morgan) 수녀, 모세 톨리버(Mose Tolliver), 빌 트레일러(Bill Traylor), 조지프 요아컴(Joseph Yoakum), 손튼 다이얼(Thornton Dial), 미니 에반스(Minnie Evans), 윌리엄 호킨스(William Hawkins), 로니 홀리(Lonnie Holley), 찰리 루카스(Charlie Lucas), 퍼비스 영(Purvis Young)

른 의미를 부여했다. 조지프 요아컴(Joseph Yoakum)을 제외한 코코런 갤러리의 흑인 민속 예술가들은 여기에 포함되지 않았다. 이 전시회에서는 유럽의 표현주의자들 및 초현실주의자들로부터 시작해, '시카고 이미지스트'(Chicago Imagist)와 같은 미국의 예술 애호가들(aficionados)로까지 이어지는 아방가르드와 아르 브뤼 간 상호작용을 추적했다. 그러나 이처럼 훈련된 예술가와 독학 예술가의 작품들을 결합하는 것은 뒤뷔페가 스위스 로잔에서 그의 '아르 브뤼 컬렉션'을 위해 수립한 대출 정책에 반하는 것이었다. 보다 중요한 것은 미국의 예술철학자 아서 단토(Arthur Danto)가 간파했듯이, '평행 비전'이라는 개념 자체가 근본적으로 다른 두 가지 창작 방식을 동일시할 것을 제안하는 논리적 오류였다는 점이다.[21]

아웃사이더 아트 페어가 이와 동일한 이름의 영역에 보다 깊이 개입하면서, 아웃사이더 아트라는 장르는 창작자의 '전기'(biography)와 점점 더 동일시되었다. 아웃사이더 아트 창립자인 샌포드 스미스(Sanford Smith)의 말처럼 "사람들은 작품뿐만 아니라 이야기도 구매했다." 아르 브뤼가 정신질환의 예술로 정의되어서는 안 된다고 강력히 주장한 뒤뷔페조차도 '미학적 소외'(aesthetic marginalization)와 이를 낳은 '사회학

---

21) 단토는 "예술에서 사물의 유사성이 시각(vision)의 유사성을 수반한다는 견해보다 더 큰 착각은 없다"고 말했다.

적 소외'(sociological marginalization) 현상을 분리할 수는 없었다. 뒤뷔페의 아르 브뤼 판본은 예술사적 분석 대신 창작자들의 개성과 전기를 강조했다. 미술 개념에 대한 그의 상반된 감정은 그가 추진한 모든 프로젝트에 지속적으로 영향을 미쳤다. 뒤뷔페는 자신이 사랑하고 수집한 작품들이 예술로 인정받기를 간절히 바라면서도, 이들을 전통적인 미술로 취급해서는 안된다고 주장했다.

실제로 비문화(non-cultural) 예술과 문화 예술을 완전히 분리하는 것은 어려운 일이었다. 뒤뷔페의 창의적인 '백지 상태'(tabula rasa) 개념은 종종 예술가들의 작업 과정에 있어 현실과 모순되는 유토피아적 이상이었다. 기실 사회적 소외가 반드시 기존 문화와의 접촉을 배제하는 것은 아니다. 예컨대 다거는 은둔자였을지는 몰라도, 대중적 이미지를 열성적으로 수집하고 아동 문학을 탐독하는 사람이었다. 제임스 캐슬(James Castle)은 아이다호의 외딴 지역에 살았던 청각 장애인이었지만, 무수한 시각적 자극으로부터 영감을 얻었다. 핀스터와 라미레즈 같은 다른 예술가들도 예술에 대한 인식과 더불어 자신들을 예술가로서 인식했다. 아르 브뤼 패러다임은 예술적 의도를 경시하거나 부정함으로써, 예술을 그 자체로 연구하는 것을 방해했다.

아웃사이더나 아르 브뤼와 같은 라벨의 한계를 인식한 미국의 많은 예술 애호가들은 보다 광범위하고 중립적인 설명으로서 '독학'(self-taught)이라는 라벨을 선호하게 되었다. 이는 1998년 미국 민속 미술관에서 개최한 전시 '20세기 독학 예술가: 미국 전집'(Self-taught Artists of the 20th Century: An American Anthology)에 요약되어 있다. 민속 예술, 현대 원시주의, 아르 브뤼의 측면을 결합한 이 전시는 19세기 미국 화가 헨리 처치 주니어(Henry Church Jr.)에서 시작해 케인과 모지스, 그리고 호레이스 피핀(Horace Pippin) 등의 '고전적인' 대표 작품들을 거쳐, 손튼 다이얼(Thornton Dial)과 같은 보다 현대적인 아프리카계 미국인 예술가들, 다거처럼 '외부자'인 예술가들의 작품까지 조명했다. 유럽에서는 '소박한' 예술과 아르 브뤼 지지자들이 별도의 진영을 형성하는 경향을 보인 반면, 미국에서는 비주류 예술에 대한 다양한 하위 범주들이 혼재되어 있었다.

20세기 초부터 미국인들이 독학 예술가를 수용한 것은 '아메리칸 드림'(American dream)에 내재된 포용성의 개념 때문이었다. '타자'(비전통주의자, 추방자, 이탈자)를 기리는 것 또한 '국가 신화'(national mythology)의 핵심이다. 1900년대에 일었던 아웃사이더 아트 붐은 이러한 미국 내 뿌리 깊은 열망을 포착하고 확대했다. 아웃사이더 아트 장르의 많은 옹호자들이 히피들의 반문화 영향을 받았으나, 이들은 모든 문화에 반대하기 보다는 자의적인 제도적 권위에 대한 의문을 제기했던 것이었다. 대안 예술 형식은 1960년대에 수용되기 시작한 대안적인 생활 방식을 보완했다. 미국 내 인권 운동이 점점 더 다양한 소수자들을 포함하도록 확장됨에 따라, 은유적 표현으로서 국가의 '용광로'(melting pot)는 '화려한 모자이크'(gorgeous moraic)로 대체되었다. 어떤 면에서 미국인들은 "우리는 모두 아웃사이더입니다"고 겸손하게 말할 수 있다.

하지만 어떤 '라벨'로든 1990년대 미국의 비주류 예술 분야 전반에 있어 제도적 체계가 부족했다. 기실 전통적인 맥락에서의 관리 주체가 부재했다는 점은 아이러니하게도 독학 예술의 '매력' 중 하나였다. 1981년 미국 민속 미술관은 뉴욕대학교에 '민속 예술 연구' 석사 프로그램을 개설했지만, 대다수 학교의 민속학과와 미술사학과 모두에서 인정받지 못했다. 이러한 이색적인 예술 분야의 지지자들은 관련 명칭과 정의에 대해 끊임없이 논쟁을 벌였고, 학자들이 이를 '용어 전쟁'(term warfare)이라 일컫기도 했다. 매년 아웃사이더 아트 페어의 심사위원회는 추천된 예술가들 중 어떤 사람이 아트 페어에 참가할 자격이 있는지 결정하기 위해 모였는데, 미술학교를 나온 예술가는 여기에서 제외되었다. 그러나 일반적으로 수용되는 금기 사항 외에는 관련 기준에 대한 합의가 거의 이루어지지 않았다. 학술적으로 인증된 기준에 부재한 상황에서, 딜러와 수집가 각자가 적합하다고 생각하는 장르를 자유롭게 형성할 수 있었다.

눈여겨볼 아웃사이더 아트의 특징들

아웃사이더 아트의 특징을 보다 명료하게 파악하기 위해서는 크게 '회화, 조각, 예지적 환경(visionary environment)'이라는 3가지 영역을 중심으로 아르 브뤼와 비교·분석해볼 필요가 있다.

우선 회화의 측면에서 보면, 앞서 언급했듯이 아르 브뤼와 아웃사이더 아트 작품들을 정의하는 단일 스타일이나 미적 특질은 없다. 대표적인 아르 브뤼 예술가로 꼽히는 아돌프 뷜플리(Adolf Wölfli)를 비롯해 가스통 뒤푸(Gaston Duf), 하인리히 안톤 뮐러(Heinrich Anton Müller), 예룬 팜프(Jeroen Pomp)와 같은 많은 예술가들은 생생한 상상력22)에서 파생된 환상적인 이미지를 만들어낸다. 반면 캐슬을 비롯해 스티븐 윌트셔(Stephen Wiltshire), 그레고리 블랙스톡(Gregory Blackstock) 등 다른 아웃사이더 아티스트들의 경우, 기존 사물이나 장소를 극도로 사실적으로 재현해낸다. 일반적으로 후자의 예술가

---

22) 도시, 사람, 동물 등 모두 기하학적 형태에 포함된 경우가 많다.

들을 구별짓는 것은 그들이 입체파 또는 표현주의와 같은 기존의 예술 스타일이나 운동을 따르지 않는다는 것이다. 또한 이들은 언뜻 보기에 보다 '현실적인' 그림을 만들었음에도, 뷜플리와 같이 더 고전적인 아웃사이더처럼 지정된 공간을 채우고 예술을 사용해 질서를 만들고자 한다. 이에 대해 호주 출신의 예술학과 교수인 콜린 로데스(Colin Rhodes)는 다음과 같이 말한다. "아웃사이더 아트의 가장 두드러진 특징 중 하나는 일반적으로 초월적이거나 형이상학적인 용어로 세계를 표현하려는 경향이 있다는 점이다. 비록 관객이 항상 그들의 표현 언어에 접근할 수 있는 것은 아니지만, 아웃사이더 아티스트들은 거의 변함없이 그들 세계의 '현실'을 뒷받침하는 구조화된 우주론을 발전시킨다. 기실 개인은 인식된 위협으로부터 자신과 자신의 아이디어를 보호하기 위해, 의도적으로 이를 숨기거나 복잡한 도상학을 개발하는 경우가 많다."

회화와 마찬가지로, 아르 브뤼 및 아웃사이더 아트 조각품도 다양한 형태와 스타일을 취할 수 있다. 그러나 이들 비주류 예술가의 다수가 정신병원, 감옥 등 기관의 경계 안에서 작품을 창작하기에, 이들이 접근가능한 자료가 보다 제한적인 경향을 보인다. 따라서 아르 브뤼 및 아웃사이더 조각품은 종종 정신병원 내 농장에서 발견된 동물의 이빨, 뼈, 가죽, 그리고 끈, 줄, 철사 등 기타 종류의 쓰레기를 포함해 손에 넣을 수 있는 모든 물건과 재료를 사용하는 예술가의 수완을 보여준다. 기관 외부에서 강제적인 제한 없이 조각품을 만드는 아웃사이더 아티스트들의 경우, 폐기물과 고려 대상에서 제외되는 물건을 지속적으로 사용하는 경향을 보인다. 예컨대 영국의 예술가 데이비드 켐프(David Kemp)는 완전히 찾아낸 재료를 사용하는데, 종종 그의 조각품을 만들기 위해 바다에 떠밀려온 유해 잔해물을 활용한다.

예지적 환경에는 사이먼 로디아(Simon Rodia)의 '와츠 타워'(Watts Towers), 사무엘 딘스무어(Samuel Dinsmoor)의 '에덴 동산'(Garden of Eden), 페르디낭 슈발(Ferdinand Cheval)의 '팔레 이데알'(Palais Idéal), 네크 찬드의 '찬디가르의 바위 정원'(Rock Garden of Chandigarh)과 같이, 아웃사이더 아티스트들이 만든 대규모 환경 또는 건축 프로젝트가 포함된다. 1989년부터 영국에서 발간해 온 비주류 예술 잡지 『로우 비전』(Raw Vision)의 편집장 존 마이젤스(John Maizels)는 예지적 환경이 '종종 수년 간 노력한 결과'이자 '인간 창의성의 가장 특별한 형태 중 하나를 나타내는' 것으로, '이상함과 개성으로 가득 찬 특이한 구조'인 경향을 보인다고 설명한다. 이러한 환경은 돌, 쓰레기 및 발견된 물체 등 창작자가 발견한 다양한 재료로 만들어지는 경향이 있으며, 다양한 형태의 건축물을 차용한 스타일이 혼합된 경우가 많다. 관련 프로젝트의 상당수는 프랑스와 미국에서 발견된다.

1991년 시카고에 설립된, 아웃사이더 아트의 전시, 연구, 홍보를 위한 비영리 단체인 인튜이트(Intuit)는 아웃사이더 아트를 '주류 예술계로부터 거의 영향을 받지 않고, 자신만의 독특한 비전을 토대로 동기를 부여받는 예술가들의 작품'이라 정의하면서, 아웃사이더 아티스트의 특징을 다음과 같이 4가지로 정리한다.

첫째, 아웃사이더 아티스트는 정규 교육을 받지 않은 예술가다. 즉, 미술 학교에 다니지 않았거나 학계 내에서 미술 교육을 받지 않은 사람이다. 이들 중 다수는 미술관이나 박물관의 작품을 알지 못하며, 그들의 작품은 주류 미술 밖에서 창조된다. 아웃사이더 아티스트는 자신의 경험, 관심, 주변 세계를 이해하고자 하며, 순전히 그들 자신을 위해 창작활동을 한다. 이들은 자신만의 방식대로 주변 환경과 소통하며 예술계의 규칙을 따르지 않는다.

둘째, 아웃사이더 아트는 자신을 위해 만들어지는 것이며, 반드시 관객을 위해 만들어지는 것은 아니다. 으레 예술가라고 하면 예술품을 팔려는 의도로 그림을 그리거나 조각하는 사람을 떠올리게 되는데, 기실 이는 대부분의 예술가들이 생계를 유지하는 방식이기도 하다. 그러나 많은 아웃사이더 아티스트들은 자신의 작품을 팔려는 의도로 작품을 창작하지 않으며,

다른 사람들이 자신의 작업에 대해 어떻게 생각할지 걱정하지 않는다.[23)

셋째, 아웃사이더 아티스트들은 주류 예술가들과는 다른 이유로 자신의 작품을 창작하려는 동기를 갖는 경우가 많다. 아웃사이더 아티스트는 자신의 삶의 경험과 역사적 사건을 기록하면서 스스로 예술 작품을 만든다. 많은 아웃사이더 아티스트들이 예지 예술가(visionary artist)로 알려져 있고, 몇몇은 신이나 다른 영적 또는 지적인 근원으로부터 메시지를 받았다고 믿기 때문에 예술을 창조한다. 이들은 강한 내적 비전을 갖고 있으며, 예술작품을 창조해야 한다는 강박감을 느낀다. 충동, 집착 또는 종교적 영감이 종종 이들을 예술로 이끌어낸다.

넷째, 많은 주류 예술가들과 달리 아웃사이더 아티스트들은 비전통적이고, 쉽게 구할 수 있으며, 기존 용도에서 변경된 재료 및 오브제를 작품에 활용한다. 특히 미술용품을 활용할 수

---

23) 아르 브뤼보다 광의의 비주류 예술 개념인 아웃사이더 아트는 창작자의 다채로운 배경과 특성을 수용하면서, 독학 예술(Self-taught Art), 예지 예술(Visionary Art), 민속 예술(Folk Art) 등 비주류 예술의 여러 하위 개념들을 만들어냈다. 이에 따라 사회적 폐쇄성과 단절이 주를 이루었던 아르 브뤼 예술가들과 달리, 아웃사이더 아티스트 중에는 특히 요즘 시대로 오면서 기존 예술계 및 대중과 적극적으로 소통하는 이들도 적지 않다. 오늘날 상당수의 아웃사이더 아티스트들이 국제 경매, 갤러리, 박람회에 소개되면서 이들의 작품이 고가에 판매되고 있으며, 더 많은 아웃사이더 아트 전문 컬렉션이 탄생하고 있다. 따라서 이러한 특성은, 특히 아웃사이더 아트의 하위 개념 중 가장 개방적인 독학 예술에 있어서는 다소 요원할 수 있다.

없는 경우에 더욱 그러한 경향을 보이며, 집, 마당, 동네 등 주변 환경의 재료를 사용하는 경우가 많다.

비주류 예술의 다양한 갈래

1972년 카디널이 아웃사이더 아트 개념을 정립하면서 비주류 예술의 범위가 확장되고, 특히 미국을 중심으로 광의의 비주류 예술이 정착·발전하면서 여러 하위 개념들이 형성되었다. 이들 개념은 때로 그 의미가 중복되거나 동의어로 오용되기도 하며, 그 정의 및 유형화에 있어서도 미술계에서 의견이 갈린다. 『로우 비전』에서 제시한 내용을 중심으로, 국내외 관련 자료들을 함께 참고해 비주류 예술의 주요 하위 개념들을 정리해 보면 다음과 같다.

민속 예술

민속 예술(Folk Art)은 북아메리카 지역에서 주로 사용되는 용어로, 20세기 초 미국에서 정립되었다.

그랜마 모지스가 창시한 것으로 알려진 민속 예술의 기원은 16-17세기 유럽 농민 공동체의 토착 공예 및 장식 기술과 관련되어 있다. 이후 식민지 시대에 장식물과 실용적 수공예 기술을 토대로 만들어진 단순하고 유용한 물건들에까지 적용되었다. 현대에 와서는 톱으로 조각한 동물부터 풍향계, 퀼트, 자동차 허브 캡으로 만든 건물에 이르기까지, 아웃사이더 아트 차원에서의 모든 제작물들이 민속 예술에 포함된다. 이들 제작물은 순전히 실용적이거나 장식적인 목적으로 사용되는 경향을 보이며, 공동체 지향적이면서 공예 기반의 전통과 관련되어 있다. 아웃사이더 아트가 전반적으로 사회적 주류와의 관계가 적은데, 민속 예술은 전통적 형태와 사회적 가치를 아우른다는 점에서 차이를 보인다. 때때로 부족 예술(Tribal Art) 또는 다음에 설명할 원시 예술과 중첩되기도 한다.

한편 400여 년에 걸쳐 (특히 남부 지방을 중심으로) 흑인 노예제도를 유지[24]했던 미국에서는 정규 미술교육을 받지 않았거나, 독학으로 터득한 아프리카계 미국인 예술가들의 작품을 '흑인 민속 예술'(Black Folk Art)이라는 명칭으로 범주화하기도 한다. 흑인 민속 예술가들은 앞서 언급한 아웃사이더 아티스트의 일반적인 특징을 보이면서, 흑인 공동체의 역사, 신

---

24) 미국의 흑인 노예제도는 1776년 미국이 건국되기 전부터 이미 성행했다. 1619년 아프리카 흑인들이 네덜란드 배를 타고 버지니아로 팔려온 것을 시작으로, 미국의 흑인 노예제도는 1865년 공식적으로 폐지될 때까지 지속되었다. 그러나 흑인에 대한 미국사회에서의 차별은 20세기가 되어서도 쉽게 사라지지 않았다.

화, 종교를 예술에 반영한다. 또한 예술 작품을 통해 인종차별, 인권 운동 등 흑인들이 미국 사회에서 마주하는 정치 문제에 대한 메시지를 전달함으로써 사회 변화에 기여하고자 한다. 그러나 '흑인 민속 예술'이라는 용어는 소위 '니그로(Negro) 미술'로서, '야수파, 입체파'와 같이 보다 전문적이거나 예술적인 표현으로 정립되지 못했기에 특정 민족을 예술계에서 제도적·조직적으로 차별하는 요인이 된다는 비판을 받는다.

원시 예술과 버내큘러 아트

원시 예술(Primitive Art)은 사하라이남 아프리카, 아메리카 인디언, 태평양 지역(호주, 멜라네시아, 뉴질랜드, 폴리네시아) 예술과 같이 특정 지역 원주민들의 시각 예술과 물질문화를 일컫는 용어다. 일각에서는 유럽 중심적이고 경멸적인 사고가 반영된 개념이라는 비판을 받기도 한다.

한편 버내큘러 아트(Vernacular Art)는 '아프리카계 미국인의 정체성 및 문화'와 같이 특정 문화의 영향을 받은 비주류 예술이라 할 수 있다. 일반적으로 특정 문화 집단이나 지역에서 발생하며, 특정 지역이나 공동체의 전통, 관습, 일상생활을 예술작품에 반영한다. 버내큘러 아트 작품은 공식적인 예술 기관에서 전시할 목적으로 만들어지지 않으며, 주로 특정 문화의 맥락에서 세대를 거쳐 전해지는 민간 예술, 전통 공예 등을 포함한다.

노브 인벤시옹

뒤뷔페는 자신이 정립한 아르 브뤼와 연계해 '노브 인벤시옹'(Neuve Invention)이라는 또 하나의 비주류 예술 용어를 만들어 냈다. '새로운 창작'이라는 뜻의 노브 인벤시옹은 예술 분야 파트타임 업무에 종사하거나 상업 갤러리와 연계하는 경우처럼, 아르 브뤼 예술가 중에서 주류 문화와 일부 상호작용이 이루어지는 이들을 지칭하는 용어다. 아르 브뤼의 테두리 안에서 이들을 정의할 수 있는 여지가 없었기에, 뒤뷔페는 주류-비주류 간 타협의 매개인 노브 인벤시옹을 통해 아르 브뤼의 적용 범위에 유연성을 부여하고자 했다.

1982년 뒤뷔페는 아르 브뤼 컬렉션에 노브 인벤시옹 예술가들의 작품을 '부속 컬렉션'(annex collection)이라는 이름으로 별도 구분함으로써, 이를 공식적으로 인정했다. 이밖에도 노브 인벤시옹과 유사한 개념으로는 앞서 언급한 특이 예술과 함께 '주변부 예술'(Marginal Art)이 있다. 유럽에서 주로 사용되는 이 용어는 아웃사이더 아트와 주류 예술 사이에 존재하는 예술을 지칭한다.

나이브 아트

'소박파'(素朴派)라고도 불리는 나이브 아트(Naïve Art)는 전문적인 미술교육을 받지 않은 이들이 사람, 동물 등 현 세계에서 관찰 가능한 소재들을, 때로는 환상적인 이미지와 연계해 사실적으로 그려내는 예술 경향을 뜻한다.

이들 나이브 아티스트는 종종 일반적인 예술적 지위를 갈망하기도 하며, 전문 예술가급에 준할 만큼 상당히 섬세하고 정교한 아마추어 예술가들로 여겨진다. 나이브 아티스트는 자신의 창작물에 보다 높은 수준의 예술적 장인 정신을 불어넣으며, 종종 다른 예술가들과 긴밀하게 협력하면서도 보다 어린아이같은 관점에서 창작 활동을 하는 경향을 보인다. 때문에 나이브 아트는 '주류급'의 비주류 예술이라고 할 수 있다.

나이브 아티스트로서 가장 유명한 예술가로는 앙리 루소(Henri Rousseau)가 있다. 그의 작품에서 보여주는 화려하고, 자유로우며, 꿈같은 이미지는 피카소와 당시 파리에 살고 있던 다른 유명 예술가들의 찬사를 받았다. 루소의 작품은 초현실주의자들뿐만 아니라 현재까지도 많은 예술가들에게 영감을 주고 있다. 또한 20세기 초 영국 콘월 출신의 어부였던 알프레드 월리스(Alfred Wallis)도 나이브 아티스트로서 지역 예술계에 큰 영향을 미쳤다.[25] 월리스는 주변에서 발견한 나

무에 전통적인 규모나 원근법을 고려하지 않고 해안 풍경을 그렸다.

독학 예술

독학 예술(Self-taught Art)은 미국에서 대중적으로 활용되고 있는 개념으로, 아웃사이더 아트의 정의에 국한되는 것을 경계하는 추세를 보이고 있다. 즉, 독학 예술은 비주류 예술 장르 중에 가장 개방적이라 할 수 있다.

정규 미술교육을 받지 않는다는 점에서는 아웃사이더 아트의 기본 특성을 지니고 있으나, 독학 예술은 고유성과 사회적 개방성을 보유한 민속 예술까지 아우를 만큼 포괄적인 개념이다. 독학 예술가는 기회만 주어진다면 상업 갤러리 등 주류 예술계와도 적극적으로 교류·협력한다. 손튼 다이얼과 앙리 루소를 비롯해 빈센트 반 고흐(Vincent van Gogh), 프리다 칼로(Frida Kahlo), 장 미셸 바스키아(Jean-Michel Basquiat) 모두 독학 예술가에 해당된다.

---

25) 지역 예술가로 활동하던 벤 니콜슨(Ben Nicholson)과 크리스토퍼 우드(Christopher Wood)가 월리스의 작품을 발견해 세인트 아이브스의 지역 예술 공동체에 소개했다.

예지 예술

'직관 예술'(Intuitive Art)이라고도 일컬어지는 예지 예술 (Visionary Art)은 현실 세계를 초월한, 영적이고 신비한 경험 을 토대로 표현되는 예술 세계를 의미한다. 제3세계의 '도시 민속 예술'(Urban Folk Art)을 비롯해, 종교적 경험과 환영에 기반해 만들어진 작품들이 이에 속한다. 아웃사이더 아트나 민속 예술의 세부적인 내용과 결부되는 것을 회피하나, '독학' 의 개념과는 관련된다고 볼 수 있다.

한편 이 분야의 예술가가 그려내는 환경, 건물, 조각공원 등은 특정한 정의를 거부하는데, 이를 앞서 언급했던 예지적 환경, 또 는 '현대 민속 예술 환경'(contemporary folk art environment) 이라 표현한다. 미국에서는 '풀뿌리 예술'(Grassroot Art)이라는 표현이 대중적으로 활용되고 있는데, 많은 경우 풀뿌리 예술가 들은 지역 공동체의 일원으로서 자신이 속한 마을과 국가의 평 범한 구성원들을 자신들의 작품에서 소박하게 표현해낸다.

교도소 예술

교도소 예술(Prison Art)은 창작자의 매우 특수한 신분을 보여주는 아웃사이더 아트의 하위 개념이다. 교도소 예술은 전반적으로 한정된 매체와 정보원을 설명하는 동시에, 탈시설화 이전 시대에 뒤뷔페와 여타 화가들이 높이 평가했던 '격리된 이들의 창작 활동'과 가장 유사하다. 재소자는 교도소 밖에서 인정받는 예술을 위해서가 아닌, 자신의 내적 만족과 교도소라는 제한된 환경에서 필요로 하는 장식품과 일용품을 위해 창작 활동을 한다. 또한 교도소 내에서 허용 가능한, 제한된 자원을 예술작품의 재료로 활용한다.

프린츠호른은 특정 공동체를 위해 특정 공동체 안에서 창작되었다는 점에서, 교도소 예술을 보다 전통적인 맥락에서 정의된 민속 예술의 한 형태로 여겼다. 카디널은 교도소 예술이 '독학 예술의 가장 확실한 하위 개념'으로 보았다.

5장. 우리는 어디서 왔고, 무엇이며, 어디로 가는가

"

오늘날 비주류 예술가들은 천천히,
그리고 확실히 주류로 흡수되고 있다.
보다 정확하게는
이전에 도외시되던 다른 창작자들과 함께
주류 미술계가 이들을 포괄하는 방향으로
나아가고 있다.

"

오늘날의 비주류 예술

20세기 초 모더니스트들에게 발견된 이후, 비주류 예술은 본질적으로 '주류 밖의 존재'로서 부정적으로 간주되었다. 장 뒤뷔페(Jean Dubuffet)가 파악한 것처럼, 20세기 중반 아방가르드의 '반항적인 장난'은 예술계에서 새로운 학문적 경향(academicism)으로 굳어졌다. 미국에서는 알프레드 바 주니어(Alfred H. Barr Jr.), 클레멘트 그린버그(Clement Greenburg)와 같은 영향력 있는 인물들이 유럽의 모더니즘을 설명하면서, 전후(戰後) 미국에서 모더니즘 후속 작품의 창작을 촉진시키고자 엄격하고 형식주의적인 이야기들을 만들어냈다. 이러한 담론에 무관심하거나 참여할 능력이 없었던 비주류 예술가들은 때때로 옛 아방가르드 정신을 탈환하려는 예술계의 주류 내부자들로부터 갑작스럽게 주목을 받기도 했다. 이 두 가지 경향은 여전히 분리된 채, 근본적으로는 불평등한 상태로 남아 있다. 이는 외부자인 비주류 예술가들이 자신들의 존재를 인정받고 목소리를 내는 데 있어 예술계의 내부자에게 의존했기 때문이다.

아르 브뤼(Art Brut)와 아웃사이더 아트(Outsider Art)는 예술가 자신이 아닌 타인이 명명한 라벨로 남아있다. 이들 라벨은 종종 예술가의 사후(死後)에 부여되며, 주로 작품의 공통 스타일이나 정신을 설명하기보다는 모든 종류의 미술사적 전통 밖에서 활동하는 예술가를 한데 묶는 것을 목적으로 한다.

오늘날 '아르 브뤼'와 '아웃사이더 아트'라는 용어는 전시 및 아트페어에서 지속적으로 활용되고 있다. 2005년 헬싱키 키아스마 갤러리(Kiasma Gallery)와 뉴욕 아웃사이더 아트 페어(Outsider Art Fair)[26]에서 열린 전시 '또 다른 세계'(In Another World), 2006년 런던의 화이트 채플 갤러리(Whitechapel Gallery)와 마드리드의 라 카익사 재단(La Caixa Foundation) 전시장, 더블린의 아일랜드 현대미술관(Museum of Modern Art)에서 열린 전시 '외부의 내적 세계'(Inner Worlds Outside), 2011년 독일 뢰머베르크의 쉬른 쿤스트할레 갤러리(Schirn Kunsthalle Gallery)에서 열린 전시 '세계를 변화시킨 자들: 아웃사이더의 예술'(World Transformers: The Art of the Outsiders), 그리고 2016년 덴마크 실케보르의 실케보르 바드 아트센터(KunstCentret Silkeborg Bad)에서 열린 전시 '특별한 손길 – 진심에서 전해지는'(A Special Touch – Straight from the Heart) 등이 그 좋은 예다. 또한 이들 용어는 정신 건강 문제로 고통받는 개인

---

26) 아웃사이더 아트 페어는 뉴욕을 기반으로 다채로운 예술 및 디자인 박람회를 기획해 온 샌포드 스미스(Sanford Smith)가 1993년에 시작했다. 아르 브뤼부터 민속 예술, 독학 예술 등 여러 비주류 예술 장르를 아우르는 박람회로, 2013년 아트 딜러 앤드류 에들린(Andrew Edlin)이 인수한 이후부터는 뉴욕뿐만 아니라 파리에서도 매년 개최된다. 1월에는 뉴욕에서, 10월에는 파리에서 아웃사이더 아트 페어가 열린다.

을 지원하고 재활하기 위한 수단으로서, 미술 치료의 활용을 꾸준히 촉진하는 데 기여하고 있다.

한편 오늘날에는 지난 세기의 미술사를 지배했던 이야기들이 주로 백인 유럽인과 미국 남성을 위해 만들어졌다는 인식이 커지고 있다. 이에 따라 여기에서 소외된 수많은 예술가들(인종 및 문화 소수자, 여성 등)에 대한 새로운 관심이 집중되고, 예술계 내에서 내부자-외부자 간 장벽이 허물어지고 있다. 두 집단 모두 고급 예술 전통만큼이나 대중 문화의 영향을 많이 받았다. 이들 모두 판지, 주석 호일과 같은 저품질의 재료나, 도자 기술 및 바느질과 같이 일상의 공예 기술을 활용한다. 이들의 작업 과정도 크게 다르지 않다. 미약한 예술적 영향력, 미비한 발전, 불충분한 예술적 의도 등 한때 외부자들의 특성으로 여겨졌던 부분들이 많은 경우 이들 집단 모두에서 '자기 실현적 예언'(self-fulfilling prophecy)으로 드러났다. 그리고 관련 연구를 통해, 이러한 비주류 예술가들의 특성이 정규 교육을 받은 예술가들과 매우 유사하다는 것이 밝혀졌다.

기실 20세기 미술시장의 마지막 황금기는 1980년대였다. 이후 침체된 미술시장에서 수집가들은 과대평가된 몸값 비싼 예술계 스타들을 경계했고, 딜러들은 '가성비'를 높이기 위한 방안을 모색했다. 이러한 맥락에서 비주류 예술가들의 작품은 이들에게 매우 매력적으로 다가왔다. 가격이 상대적으로 저렴

하면서도 새롭고 참신한 비주류 예술 작품들은 지루함에 지친 예술계에서 해독제같은 존재였다.

수집가와 딜러들 사이에서 다양한 추종자들을 끌어모으면서, 수년 동안 비주류 예술은 눈에 띄지 않게 순항해왔다. 아웃사이더 아트 페어는 이러한 초기 트렌드를 인기 브랜드로 탈바꿈시켰다. 오늘날 비주류 예술가들은 천천히, 그리고 확실히 주류로 흡수되고 있다. 보다 정확하게는 이전에 도외시되던 다른 창작자들과 함께 주류 미술계가 이들을 포괄하는 방향으로 나아가고 있다.

현재 유럽과 미국 대륙 곳곳에서 비주류 예술에 대한 깊이 있는 분석과 소통을 위해 여러 기관·단체들이 활발히 활동하고 있다. 유럽에서는 로잔의 '아르 브뤼 컬렉션'(Collection de l'Art Brut) 미술관을 비롯해 브뤼셀의 '예술과 가장자리 미술관'(Art et Marges Musée), 암스테르담의 '마음 미술관 | 아웃사이더 아트'(Museum van de Geest | Outsider Art), 비엔나 인근 구깅의 아르 브뤼 센터(Art Brut Center Gugging), 란데르스의 '가이아 아웃사이더 아트 미술관'(Gaia Museum Outsider Art) 등의 비주류 예술 전용 미술관이 운영되고 있다.[27] 또한 영국에

---

27) 아시아 지역에서는 아르 브뤼 및 아웃사이더 아트 전문 미술관인 벗이미술관(Art Museum Versi)이 유일하다. 2015년 경기도 용인시 처인구에 개관한 이곳은 관습적인 예술 형식에 영향을 받지 않는 국내 작가들을 연구·지원하면서, 다양한 비주류 예술 전시를 개최하고 있다.

서는 1989년부터 계간지 형태로 비주류 예술 잡지인 『로우 비전』(Raw Vision)이 발간되고 있다.[28]

미국의 경우 뉴욕에서는 1993년부터 아웃사이더 아트 페어가 매년 개최되고 있으며, 현대 미술관(MoMA, Museum of Modern Art), 휘트니 미술관(Whitney Museum of American Art), 메트로폴리탄 미술관(Metropolitan Museum of Art)에서는 비주류 예술가들의 작품을 영구 컬렉션에 통합시키고자 시도해왔다. 또한 메트로폴리탄 미술관과 더불어 필라델피아 미술관(Philadelphia Museum), 밀워키 미술관(Milwaukee Art Museum)은 최근 비주류 예술 컬렉션을 위한 기부를 수용하고 전용 전시회를 기획했다. 1991년 시카고에 설립된, 아웃사이더 아트의 전시, 연구, 홍보를 위한 비영리 단체인 인튜이트(Intuit)는 시카고 출신의 대표적인 아웃사이더 아티스트인 헨리 다거(Henry Darger)의 컬렉션을 비롯해 1,300여 점의 작품을 소장하고 있다. 또한 이곳에서는 매년 아웃사이더 아트 분야에서 뛰어난 작업을 수행한 예술가, 전문가, 지지자를 대상으로 '비전상'(Visionary Award)을 수여한다.

나아가 최근 몇 년간 소위 '아웃사이더 아트 현상'을 중심으로 비주류 예술은 국제 미술계에서 엄청난 인기를 얻었다.

---

28) 『로우 비전』 홈페이지(rawvision.com)에서 전 세계 비주류 예술 관련 주요 갤러리 및 컬렉션의 명단 및 세부 정보를 볼 수 있다.

국제 경매, 갤러리, 박람회에서 아웃사이더 아트가 소개되었고, 상업적으로도 큰 성과를 거두었다. 2022년 9월 국내 대표적인 미술품 경매행사인 케이옥션(K-Auction)의 경매가 서울에서 열렸을 때, 60억 원 규모의 전 세계 유명 작가들의 작품 100점이 선보였다. 출품작 중에는 호주 출신의 독학 예술가(self-taught artist)인 조디 커윅(Jordy Kerwick)의 작품 <무제>도 포함되었는데, 그 추정가가 9,500만원-2억5,000만원에 달했다. 2023년 1월 뉴욕 크리스티(Christie's)에서 열린 아웃사이더 아트 작품 판매액은 420만 달러로 역대 최고치에 달했으며, 대표적인 아웃사이더 아티스트 빌 트레일러(Bill Traylor)의 작품도 새로운 경매 기록을 세웠다.

한편 대학 내 비주류 예술 관련 학위 프로그램은 아직 거의 없지만, 미술사학자들은 학문적 미술을 연구하는 데 있어 전통적으로 활용했던 방법론을 동일하게 적용하면서 이러한 장르에 더 많은 관심을 기울이고 있다. 이러한 접근법은 미학적 혁신과 개인의 맥락을 다루면서 비주류 예술가의 업적을 존중하는 동시에, 정규 교육을 받은 여타 예술가들과 구분되는 특성을 인정한다.

아르 브뤼가 탄생한 프랑스를 포함한 유럽에서, 그리고 아웃사이더 아트가 뿌리를 내린 영미권에서는 비주류 예술에 대한 연구가 다방면으로 이루어지고 있다. 이는 접근 방식에 따라

크게 3가지로 구분된다. 첫째는 미술사적 접근으로, 유럽의 연구와 영미권의 연구가 다른 양상을 띈다. 유럽의 연구는 아르 브뤼의 창시자인 뒤뷔페의 예술세계와 관련해 기술되는 경우가 많은 반면, 영미권의 연구는 민속 예술(Folk Art), 독학 예술 (Self-taught Art) 등과 연계지어 보다 광의의 개념으로서 다룬다. 둘째는 정신병리학적 접근이다. 아르 브뤼 개념의 탄생에 많은 영향을 미친 20세기 초반 정신과 의사들의 저서에서부터, 최근 미술치료 영역에서의 연구까지가 이에 해당된다. 마지막으로 셋째는 개별 작가에 대한 연구다. 아르 브뤼 컬렉션에서 펴낸 20여 권의 작가론을 비롯해 빌 트레일러와 알로이즈 코르바스(Aloïse Corbaz), 헨리 다거(Henry Darger) 등 비주류 작가들의 삶과 작품세계가 꾸준히 조명되고 있다.

비주류 예술의 쟁점과 전망

1972년 로저 카디널(Roger Cardinal)이 아웃사이더 아트 개념을 정립한 것을 기점으로, 반세기 동안 주류 예술의 확장과 비주류 예술 연구의 전문화가 지속되어 왔다. 이는 분명 주목할 만한 발전이지만, 동시에 비주류 예술에 대한 여러 논란이 야기되고 있다. 국제 미술계의 조류를 주시하면서, 이들 쟁점에 대해 지속적으로 분석하고 시사점을 도출하는 작업은 비주류 예술의 증진과 체계화에 있어 매우 중요하다. 비주류 예술과 관련해 회자되는 주요 쟁점들을 살펴보면 다음과 같다.

라벨링의 딜레마

비주류 예술사에 있어 정의와 용어는 지속적인 논쟁을 낳았다. 기본적으로 비주류 예술은 창작의 전통적인 맥락, 즉 인정받은 순수미술의 범위에서 정의될 수 없는 모든 예술활동이라 생각할 수 있다.

그러나 4장에서도 언급했듯이, 아웃사이더 아트라는 광의의 개념을 토대로 비주류 예술의 범위는 훨씬 확장되었고 여러 하위 개념들이 생겨났다. 비주류 예술 관련 용어들이 우후죽순처럼 늘어나면서 용어들 간 의미의 중복, 동의어로의 오용, 개념의 정의 및 유형화 기준에 대한 의견 차이 등의 문제가 발생하고 있다. 나아가 일각에서는 '아웃사이더'라는 용어 자체가 차별적이라며 '에이블 아트'(Able Art), '스페셜 아트'(Special Art), '보더라인 아트'(Borderline Art) 등의 용어를 대안으로 제시하기도 한다.

일찍이 뒤뷔페에게는 특정 예술 작품에 대한 이름 짓기, 즉 '라벨링'(labeling)이 가장 큰 불만이었고, 이러한 라벨링 작업에 동참하는 것을 꺼려했다.[29] 하지만 이는 자신 이전에 이러한 작품들이 발견되지 않았다는 뒤뷔페의 순진한 믿음에서 기인한 것이었다. 뒤뷔페 이전에 이들 작품은 자체적인 이름을 갖지 못했고, 예술로 적합하게 여겨지지도 않았으며, 그 창작자들은 예술가로 여겨지지도 않았다. 아이러니하게도 뒤뷔페가 '아르 브뤼'라는 명칭 하에 이들 작품을 범주화하고 이름을 부여했기에 이들은 예술계에 편입될 수 있었다.

비주류 예술을 정의하고 정체성을 확립해 나가는 데 있어, 라벨링은 일종의 '양날의 검'이다. 라벨을 달아야 할지의 여부와, 어떠한 라벨을 달아야 할지에 대해 결정하는 것은 매우 까다로운 작업이다. 그러나 예술이 아닌 것으로 여겨졌던 부분을 '비주류 예술'이라는 이름의 장르로 범주화할 수 있었던 것은, 결국 기존 미술계와의 연결고리 속에서 라벨링 작업이 진행되

---

29) '아르 브뤼 컬렉션'(Collection de l'Art Brut)의 초대 관장인 미셸 테보즈(Michel Thévoz)와 카디널 또한 기존 예술계에 동화되지 않으면서 비주류 예술의 라벨링 작업을 진행하는 것에 대한 어려움을 토로한 바 있다. 1972년 카디널은 자신의 저서 『아웃사이더 아트』(Outsider Art)를 펴낸 것에 대해 다음과 같이 말했다. "담당 출판 편집자는 '아르 브뤼'만이 가장 적절한 단어임에도 불구하고, 영어권 독자들에게 아르 브뤼가 생소할 수 있다는 우려 때문에 속표지와 겉표지를 영어로 인쇄하는 것이 어떻겠냐고 제안했다. 1972년 이후로 '아웃사이더 아트'라는 용어는 그 자체로 삶을 이끌어 왔으며, 다양한 방식으로 남용되었고, 때로는 전문용어로서의 유용성을 제대로 발휘하지 못했다." 뒤뷔페와 테보즈처럼 카디널 또한 전문 용어를 마련하고자 '아웃사이더 아트'라는 이름을 제시한 것은 아니었다. 다만 이들 모두 특정 분야를 정의하는 데 있어 '무엇이 아닌지를 우선적으로 이해'하는 방법을 선택해 활용했다.

었기 때문이다.

무엇보다 비주류 예술은 시간, 양식, 장소, 주제에 근거한 운동이나 학파가 아니며, 관련 연구에 있어서도 작품 자체나 특성 관습, 통합적 특성보다는 창작자에 초점을 맞춘다. 그렇기에 비주류 예술은 끊임없이 진화하며, 새로운 정의에 개방적이다.

이러한 비주류 예술의 유동성과 잠재력을 기반으로, 동시대 미술과의 지속적인 소통을 통해 비주류 예술의 개념 및 용어를 구축해 나가는 일은 향후에도 관건이 될 것으로 전망된다. 사회의 중심부에서 제외된 예술, 문맹의 예술, 절대고독의 예술, 현 세계의 도피처로서의 예술은 항상 존재할 것이기에, 비주류 예술을 어떻게 정의할지, 누가 내부자이고 외부자인지는 상황에 따라 그때그때 정립되어야 할 것이다. 끊임없는 변화와 성장은 비주류 예술이 살아 숨쉬기 위한 원동력이다.

'내부자'에게 의존하는 '외부자'

앞서 4장에서 아르 브뤼가 예술가들이 스스로를 식별하는 운동이 아닌, 역사학자와 비평가, 수집가들이 사후에 부여한 꼬리표임을 언급한 바 있다. 실제로 미술계에서는 내부자가 정의 내린 외부자가 그들의 창작 활동에 관심을 두는 내부자에게 지속적으로 의존하는 경향이 나타났다. 이는 역사적으로 비주류 예술의 주체성을 약화시키고, 주류 미술계에게 착취당하는 구실을 제공했다는 점에서 비판을 받는다.

미술계에서는 작품에 가치를 두는 이들이 있는 동시에, 예술가를 중요시하는 이들도 있다. 분명 창작자의 전기(biography)나 삶의 환경은 주류 미술계 관계자들의 시선을 끌만한 요소다. 더불어 예술가가 미술계의 결정자들(gatekeepers)에게 눈도장을 찍으려면 어떤 무대에서든지 활동해야 한다. 1960년대 팝아트 사례에서 볼 수 있듯이, 예술가의 작품을 홍보하는 데 있어 평론가의 비평에 관계없이 예술가가 직접 작품을 설명하고 매매하는 것이 결정적인 영향을 미친다. 이제 현대 미술계에서 예술가의 평판은 학자와 평론가보다는 판매상과 수집가가 부여한 (재정적) 가치와 더 연계되어 있으며, 예술가들에게 보다 많은 발언권을 주고 있다.

미술계의 결정자들은 주류 예술가들을 종종 그들의 작품과 함께 축하받도록 하고자 미술계 내부로 초대했다. 하지만 비주류 예술가들의 경우 창작이 끝나고 나면 작품에서 제외되거나, 작품을 전시하고 이를 심도 깊게 고찰하는 데 있어 진술이나 글, 논의의 방식 등으로 자기 목소리를 내지 못하는 경우가 많았다. 미국의 예술평론가 라일 렉서(Lyle Rexer)의 뼈 있는 말처럼, "아웃사이더 아트는 역사가, 평론가, 수집가들의 창작품이자 예술가를 제외한 모든 이들의 창작품"이다. 또한 비주류 예술을 다루는 데 있어 아트 딜러들은 종종 우리와 '다른 사람'의 신비로움을 고조시키고자 가장 추잡하거나 과장된 이야기를 찾아내는 데 골몰했다. 이에 대해 카디널은 딜러들이 "일화적인 자료에서 얻은 부수적인 정보만을 찾아내서 사회적 행동, 심리 상태 등과 관련해 축적된 자료에서 만들어진 이야기를 사용했다"고 말하기도 했다.

한 가지 주목할 점은, 최근 몇 년 사이 눈에 띄게 성장한 내부자의 새로운 형태가 '유명 인사'(celebrity)라는 것이다. 레오나르도 디카프리오(Leonardo DiCaprio), 마돈나(Madonna)와 같은 미술계 밖의 유명 인사들이 구입하거나 후원한 작품들에 주류 미술계와 대중 모두의 시선이 쏠리고, 해당 작품에 대한 가치와 권위가 급상승하는 경우를 어렵지 않게 볼 수 있다. 이러한 양상은 예술계에서 내부자와 외부자의 구분이 다층적·다차원적으로 변화해나가고 있으며, '종류'보다는 '정도'의 차원에서 개념화될 수 있다는 가능성을 보여준다. 즉, 결정자의 의미는 가변적이며, 내부자인지 외부자인지는 상황에 따라 달라질 수 있다. 나아가 아르 브뤼를 창시한 뒤뷔페처럼, 특정 예술 장르나 작품에 주목하게 만든 '내부자'의 전기를 분석·조명하는 것도 예술계 내 다양한 활동 주체들 간 균형과 소통, 이해를 증진하는 데 도움이 될 것이다.

주류 예술과의 차별성 문제

오늘날 많은 비주류 예술가들이 주류 미술관 및 단체에 소속되어 있다. 이들은 주요 국제 전시에도 참여하고 있고, 그 작품들은 고가에 팔리고 있다. 비주류 예술에 대한 대중의 관심에 힘입어 뉴욕 아웃사이더 아트 페어와 같은 국제 예술 박람회도 정기적으로 개최된다. 사실상 비주류 예술이 '제2의 예술계'를 조성하면서 주류와의 평행을 유지한다고 볼 수 있지만, 이로 인해 주류 예술과의 차별성에 대한 문제가 발생한다. 과연 무엇으로부터의 '외부'인가? 주류 미술계에 발을 디딘 비주류 예술가들은 외부자에서 내부자로 변하는 것인가?

나아가 비주류 예술에 대한 미술시장의 관심이 증대되면서 소위 '가짜 아르 브뤼', '가짜 아웃사이더 아트'가 넘쳐나고 있다. 전세계적으로 미술 치료 붐이 불면서, 정신병원보다 아뜰리에 공간에서 환자들이 작품을 만들고 있다. 아르 브뤼의 작업 공간이 고급화되었을 뿐만 아니라 재료도 기성 문화의 것을 사용하고, 심지어 가르쳐 주는 사람도 있기에 스스로 예술을 터득하게 될 가능성도 줄어든 것이다. 오늘날 무엇이 진짜 외부자의 예술인가?

비주류 예술가들이 현대 미술 현장에 흡수되는 현상은 적절한 평가 기준에 관한 문제도 야기한다. 역사적으로 비주류 예술 작품을 분류하는 데 사용된 다양한 기준 항목들은 종종 질적 측면보다 '진정성'에 보다 중점을 두었다. 구매자가 이들 평가 기준에 따라 작품을 진정성 있다고 본다면, 종종 그 작품이 훌륭한지의 여부는 중요치 않아 보였다. 학계에서는 '품질'이라는 개념 자체가 미술사가들이 말소하고자 하는, 유럽 백인 중심의 편견을 연상시키는 존재로 여겨졌다. 전통적인 감정 방식이 쇠퇴하고 특정 맥락적 서술(framing narrative)이 상실되면서, 학계의 거물들 대신 미술 시장이 예술계에서 전례 없는 영향력을 행사하고 있다. 특정 예술 작품들의 가치를 높이는 부호들이 전 세계적으로 증가하면서 예술 작품은 투자의 수단이 되었고, 작품의 질을 판가름하는 데 있어 가격은 가장 주목할 만한 판단 기준이 되고 있다.

더욱이 비주류 예술가들에 대한 인식과 함께 관련 전시들이 증가하면서, '외부자'로서의 정체성이 희석될 위험이 있다. 실제로 많은 비주류 예술가들이 자신이 속한 지역사회에서 협업 형태의 예술 활동을 하거나, 창조성장아트센터(Creative Growth Art Center)[30]와 같은 전문 예술센터에서 전문 '내부자' 예술

---

30) 1974년 엘리아스 카츠(Elias Katz)와 플로렌스 카츠(Florence Katz)가 캘리포니아주 오클랜드에 설립한 창조성장아트센터는 발달 장애 예술가들의 활동 지원과 지역사회 예술활동 증진을 위한 비영리 단체다. 전문 예술가들이 운영하는 센터 내 스튜디오는 자동차 수리점이었던 12,000 ft²의 공간을 개조해 만든 공간으로, 현재 발달 장애 예술가 140여 명에게 작업실과 갤러리 공간, 창작을 위한 다양한 재료들을 제공하고 있다.

가의 멘토링을 받아 작품을 창작하고 있다. 그들의 작업은 비주류 예술가들이 사회와 주류 예술계로부터 완전히 단절된다는 뒤뷔페와 카디널의 비전을 따르지 않는다. 이에 따라 여러 학자와 비평가들이 '외부자'라는 분류 기준이 무용하다고 여기기도 한다.

오늘날 일부 사람들은 이들 두 범주 사이의 모든 장벽을 제거하고 싶어하는 반면, 또 다른 이들은 독학 창작자의 본질적인 차이점을 존중하기 위해서는 어느 정도 분리가 필요하다고 본다. 하지만 독학 예술가와 정규 교육을 받은 예술가의 결합은 앞서 4장에서 아서 단토(Arthur Danto)가 설명한 논리적 오류를 영속시킬 위험성이 있다. 이는 2013년 베니스 비엔날레(Venice Biennale)에서 이탈리아의 큐레이터 마시밀리아노 지오니(Massimiliano Gioni)가 기획한 전시 '백과사전식 궁전'(The Encyclopedic Palace)에서도 뚜렷이 드러났다. 아웃사이더 아트를 현대 예술의 영역으로 가져오는 데 크게 공헌한 것으로 평가받은 이 전시에서 지오니의 설치 작품은 '초자연적 비전, 발명된 세계, 사물의 분류 및 카탈로그, 손글씨를 접목한 작품' 등 포괄적인 유형에 따라 각기 다른 창작자 그룹의 작품들을 분류했다. 여기서 지오니는 예술가들의 독특한 맥락을 희생하면서 이들의 광범위한 공통성을 강조하는 우(愚)를 범했다. '내부'와 '외부'의 경계가 모호해지기 시작했다지만, 아직까지 현대 미술계에서는 이 둘을 통합하기 위한 적절한 패러다임을 고안하지 못한 것으로 보인다.

작가의 말

소년은 가난했다. 그의 아버지는 주당 3펜스를 버는 구두 수선공이었고, 그 역시 일찌감치 생계를 위해 고된 노동의 현장에 뛰어들었다. 16살에 학업을 중단했지만, 그는 매일 대영박물관(British Museum) 독서실을 드나드는 책벌레였다. 14살에 조지 버나드 쇼(George Bernard Shaw)의 저서 『범인과 초인』(Man and Superman)을 탐독한 소년은 인간 존재의 본질에 대한 지적 갈증을 느꼈다. 1956년, 24살이 된 소년이 발표한 문학비평서는 영국과 미국에서 비소설 부문 베스트셀러 1위를 차지했고, 발간된 지 18개월 만에 14개 언어로 번역되었다. 콜린 윌슨(Colin Wilson)의 저서 『아웃사이더』(The Outsider)는 그렇게 영국 지식인 사회에 파장을 일으켰고, 그는 새로운 '앵그리 영 맨'(Angry Young Man) 으로 급부상했다.

정규 교육을 마치지 못한 20대 청년의 지식과 분석력은 전례없이 탁월했다. 윌슨은 레오 톨스토이(Leo Tolstoy), 프리드리히 니체(Friedrich Nietzsche), 표도르 도스토옙스키(Fyodor Dostoevsky), 빈센트 반 고흐(Vincent van Gogh), 바슬라프 니진스키(Vatslav Nijinsky) 등 예술가들이 만든 작품을 치열하게 비교·분석해 '아웃사이더'라는 공통의 화두를 도출했다. 이는 가난한 집안에서 태어나 세상의 주변부를 떠돌며 살았던 자신을 성찰·투영한 것이기도 했다. 그의 책 『아웃사이더』가 세상의 빛을 보기 전, '아웃사이더'는 그저 인기 없는 경주마나 문외한을 뜻하는 말이었다. 월슨이 '아웃사이더'의 의미와 가치를 새로이 정립하면서, 이는 개성과 자유, 도전과 일탈, 젊음과 예술, 혁명과 방랑을 아우르는 '힙한' 개념으로 화했다.

『아웃사이더』에서는 아웃사이더의 면모를 다각도로 조명한다. 아웃사이더는 언뜻 보면 사회문제이자, 눈에 띄지 않는 존재다. 그는 안락한 부르주아가 안주하는 현실 세계를 받아들이고 살아갈 수 없을 만큼 너무 깊게, 너무 많이 보는 존재다. 그에게 세상은 합리적인 것도, 질서정연한 것도 아닌 혼돈 그 자체다. 하지만 그는 병들어 있는 것을 깨닫지 못하고 있는 문명 속에서 자기가 병자라는 것을 알고 있기에, 사물을 꿰뚫어볼 수 있는 유일한 사람이다. 그는 자기 성찰을 중시하며, 환상을 보거나 강렬한 열정에 사로잡힐 때 속박에서 벗어나 자유로울 수 있는 탈출구를 찾게 된다. 무엇보다 그는 일반의 열광에 결코 민감하지 않은 인간이다. 궁극적으로 아웃사이더는 누구보다 섬세하고 날카로운 통찰력으로 진리를 탐구하고자 하는, 사회에서 잘 보이지 않는 조용한 구도자다.

월슨은 예술가들을 통해 아웃사이더의 본질을 간파하는 동시에, 사회의 주변부에서 자리하고 있던 이들이 유의미한 존재로 대중에게 인식될 수 있도록 하는 데 기여했다. 이는 이미 『아웃사이더』가 출간되기 전부터 지속되어 온, 비주류 예술가들에 대한 관심과 연구와도 맥을 같이 한다. 일찍이 고대 그리스 시대부터 시작된 광기-예술 담론은 20세기 후기 구조주의(Post-structuralism)와 포스트모더니즘(Post-modernism)까지 이어졌다. 또한 지그문트 프로이트(Sigmund Freud)의 정신분석이론이 등장한 19세기 말부터 20세기 초까지 유럽의 정신의학계를 중심으로, 광기-천재성 간 상관 관계에 대한 다양한 분석이 이루어지면서 비주류 예술이 구체화될 수 있는 토대가 마련되었다. 이후 1945년 정신질환자들의 창작 활동에 기반해 프랑스의 예술가 장 뒤뷔페(Jean Dubuffet)가 주창한 '아르 브뤼'(Art Brut), 그리고 1972년 영국의 예술학자 로저 카디널(Roger Cardinal)이 아르 브뤼보다 광의의 개념으로서 제시한 '아웃사이더 아트'(Outsider Art)를 주축으로 미국과 유럽에서 비주류 예술이 확대·발전되었다.

2024년, '푸른 용의 해' 갑진년(甲辰年)은 내가 독학 예술가(self-taught artist)로 활동한 지 10년이 되는 해다. 미술계의 '외부자'(outsider)가 예술가로 거듭나고자 걸었던 여정이 여태껏 지속될 것이라고는 누구도 예상하지 못했다. 창작에 대한 들끓는 열정, 나와 주변에 대한 쉼없는 성찰과 탐구는 무수한 시행착오와 난관 속에서도 내가 '밑천 없는 예술 순례'를 지속할 수 있었던 힘이었다. 무엇보다 미국과 유럽처럼 한국사회에서도 비주류 예술에 대한 인식이 확산되고, 비주류 예술가들의 활동이 활성화될 수 있기를 바라는 간절한 마음이 나의 도전에 한몫을 했다. 그러나 안타깝게도, 비주류 예술은 여전히 한국사회에서 '찻잔 속의 태풍'이다.

일찍이 나는 저서 『독학 예술가의 관점 있는 서가: 아웃사이더 아트를 읽다』에서 국내 비주류 예술의 현주소를 분석한 바 있다. 국내 아웃사이더 아트 자료는 양적·질적으로 턱없이 부족하다. 아웃사이더 아트와 같이 보다 '진화된 개념'으로서의 비주류 예술에 대한 접근과 분석 또한 미미하다. 무엇보다 국내 비주류 예술 활동을 체계적으로 관리·지원하는 '구심점'이 사실상 부재한 상태다. 이러한 상황은 지금도 별반 다르지 않다. 여전히 한국사회에서는 다양한 비주류 예술 영역을 다루는 자료들을 찾기 어려우며, 거의 대부분의 비주류 예술 활동들이 장애인 등 '특수계층'을 위한 것으로만 국한되어 있다. 영국의 공신력 있는 아트 페어 프리즈(Frieze)와 협업할 만큼 아시아 미술 시장의 허브로 발돋움하고자 하는 한국이지만, 비주류 예술에 있어서는 국제사회의 조류와 너무 멀리 떨어져 있다.

내가 펴낸 비주류 예술 관련 책은 2021년 『저는 독학 예술가입니다』, 2022년 『독학 예술가의 관점 있는 서가: 아웃사이더 아트를 읽다』에 이어 이번이 세 번째다. 『저는 독학 예술가입니다』는 한국 사회에서 평범한 직장인이 비주류 예술가로서의 정체성을 구축해 나가는 과정을 피력한 자전적 에세이다. 『독학 예술가의 관점 있는 서가: 아웃사이더 아트를 읽다』는 국내 비주류 예술의 현주소를 파악하기 위한 '바로미터'(barometer)로서, 산재해 있던 국내 비주류 예술자료들을 찾아내 소개·분석한 자료다. 이번에 발간한 『아르 브뤼와 아웃사이더 아트: 그렇게 외부자들은 예술가가 되었다』는 한국 사회에서 누구나 손쉽게 비주류 예술의 과거와 현재를 살펴보고, 그 미래에 대해 고민할 수 있도록 지난 100년 간의 비주류 예술사를 압축한 '엑기스 노트'다. 이는 전 세계 곳곳의 비주류 예술 자료와 관련 기관·단체 홈페이지 내용을 일일이 번역·해석하고, 몇 안 되는데다 절판까지 된 국내 자료들을 찾아 중고책방을 헤맸던 나의 전철을 밟지 않기를 바라는 마음에서 비롯된 결과물이다.

이탈리아의 철학자 베네데토 크로체(Benedetto Croce)의 말처럼, "모든 역사는 현재의 역사"다. 『아르 브뤼와 아웃사이더 아트: 그렇게 외부자들은 예술가가 되었다』가 조명하는 비주류 예술 100년사를 통해, 이 시대가 요구하는 비주류 예술에 대한 한국 예술계의 인식을 높이고 향후 100년 동안의 국내 비주류 예술에 대한 시사점을 제시하는 데 힘을 보태고 싶다. 나아가 이 책이 예술계 관계자 및 창작자들뿐만 아니라, 예술을 사랑하는 모든 이들에게 비주류 예술을 이해할 수 있는 좋은 계기가 되었으면 한다.

비틀즈(The Beatles)의 맴버 존 레논(John Lennon)의 동반자이자 예술가였던 오노 요코(Ono Yoko)는 말했다. "우리는 봄이 지나면 자신의 순수함을, 여름이 지나면 자신의 활력을, 가을이 지나면 자신의 존경심을, 겨울이 지나면 자신의 인내를 기억한다." 또 다시 봄이 밝았다. 가장 순수한 예술을 추구하는 예술가의 마음가짐으로 새로운 봄을 맞이해야겠다.

2024년, 춘분(春分)을 만끽하며
오혜재

사진으로 보는 비주류 예술사

1

1912년 청기사파(Der Blaue Reiter)가 발간한 『청기사파 연감』(Der Blaue Reiter Almanach). 표지는 청기사파의 일원이었던 바실리 칸딘스키(Wassily Kandinsky)가 디자인했다.
ⓒ Städtische Galerie im Lenbachhaus and the Kunstbau

2

(왼쪽부터) '20세기 최고의 광인 천재'이자 최초의 비주류 예술가들 중 하나인 아돌프 뵐플리(Adolf Wölfli)와 그의 1910년도 작품 <밴 드-하인 정신병원>(Irren-Anstalt Band-Hain). 1921년 스위스의 정신과 의사 발터 모르겐탈러(Walter Morgenthaler)는 자신의 환자였던 뵐플리를 관찰한 결과를 토대로 『예술가로서의 정신질환자』(Ein Geisteskranker als Künstler)를 발간했다.

ⓒ Wikimedia Commons

3

(왼쪽부터) 독일의 정신과 의사 한스 프린츠호른(Hans Prinzhorn)의 1922년 저서 『정신질환자의 조형작업』(Bildnerei der Geisteskranken) 표지와 책에 실린 예술 작품 이미지. 모르겐탈러의 『예술가로서의 정신질환자』와 함께 이 책은 비주류 예술이 발전하는 데 있어 가장 중요하고 막대한 영향을 끼친 출판물로 평가받는다.

4

나치가 비주류 예술의 탄압과 프로파간다를 위해 1937년 독일 뮌헨에
서 개최한 전시 <퇴폐미술전>(Entartete Kunst)의 카탈로그. 표지 작
품은 유대인 출신의 독일 예술가 오토 프로인드리히(Otto Freundlich)
의 '새로운 인간'(Der neue Mensch)이다. 그는 1943년 마이다네크 강
제 수용소(Konzentrations- und Vernichtungslager Lublin-Majdanek)
에서 홀로코스트의 희생자가 되었다.
ⓒ Wikimedia Commons

5

'아르 브뤼'(Art Brut) 개념을 창시한 프랑스의 화가 장 뒤뷔페(Jean Dubuffet). 상기 사진은 건축 사진으로 유명했던 이탈리아의 사진작가 파올로 몬티(Paolo Monti)가 1960년에 촬영했다.
ⓒ Biblioteca Europea di Informazione e Cultura

```
COMPAGNIE  DE  L'ART  BRUT                    Année
137, Rue de Sèvres                            N° 81
Tél. : SEGur 12-63


              CARTE  DE  MEMBRE

M onsieur  et  Madame  Vincent  de  Crozals
..........................................................

     Le Président :                    Le Secrétaire :

     Jean Dubuffet                     L. Bouché
```

6

프랑스의 예술가 장 뱅상 드 크로잘(Jean Vincent de Crozals)의 아
르 브뤼 협회(Compagnie de l'Art Brut) 회원카드. 뒤뷔페는 1964년
에 크로잘을 협회 회원으로 초대했다.

ⓒ Wikimedia Commons

7

스위스 로잔에 있는 '아르 브뤼 컬렉션'(Collection de l'Art Brut) 미술관의 모습.

ⓒ Wikimedia Commons

8

'아르 브뤼 컬렉션' 미술관에 전시되어 있는 작품들. 1971년 뒤뷔페는 작가 133명의 작품 4,104점으로 구성된 이 컬렉션을 로잔 시에 기증했는데, 현재는 컬렉션에 포함된 작가의 수가 400여 명에 이른다. 미술관 홈페이지(artbrut.ch)에서 아르 브뤼 컬렉션 관련 작가 및 작품들에 대한 세부 정보를 볼 수 있다.

ⓒ Wikimedia Commons

9

'아웃사이더 아트'(Outsider Art) 개념을 제시한, 영국의 예술학자 로저 카디널(Roger Cardinal)의 1972년 저서 『아웃사이더 아트』 표지. 표지 그림은 아돌프 뵐플리의 작품이다.

© Nahoko Morimoto commissioned by the Nippon Foundation DIVERSITY IN THE ARTS

10

자신의 저서 『아웃사이더 아트』를 보고 있는 로저 카디널의 모습.
그는 2019년에 작고했다.

© Roger McDonald commissioned by the Nippon Foundation
DIVERSITY IN THE ARTS

11

1989년 창간된 영국의 비주류 예술 잡지 『로우 비전』(Raw Vision).
상기 사진은 1989년과 1990년에 출판된 1-3호를 엮어 만든 특별판
의 표지로, 뉴욕 아웃사이더 아트 페어(Outsider Art Fair)에 맞춰
2005년 12월에 출판되었다. 현재는 계간지로 발행되고 있다.
ⓒ Raw Vision

12

뉴욕 맨해튼에 위치한 퍽 빌딩(Puck Building). 1993년 이곳에서 제1
회 아웃사이더 아트 페어(Outsider Art Fair)가 개최되었다. 아웃사이
더 아트 페어는 뉴욕을 기반으로 시작된 국제 비주류 예술 박람회로,
2013년부터는 파리에서도 매년 개최되고 있다. 1월에는 뉴욕에서, 10
월에는 파리에서 각각 열린다.

ⓒ Wikimedia Commons

13

그랜드 오프닝 축하 간판이 달린, 시카고 노스 밀워키 에버뉴 756번지에 위치한 인튜이트(Intuit) 건물의 정면 모습(1998년). 1991년 설립된 인튜이트는 아웃사이더 아트의 전시, 연구, 홍보를 위한 비영리 단체로, 1999년에 현 소재지로 공간을 이전했다.

ⓒ Intuit: The Center for Intuitive and Outsider Art

14

2016년 인튜이트 건물의 정면 모습. 현재 이곳은 개보수를 위해 휴관 중이며, 현대적이고 접근성이 뛰어난 세계적 수준의 박물관으로서 2025년 초에 재개관될 예정이다.

ⓒ Intuit: The Center for Intuitive and Outsider Art

15

인튜이트가 보유하고 있는 헨리 다거(Henry Darger) 룸 컬렉션의 모습.

ⓒ 2007 John Faier / Intuit: The Center for Intuitive and Outsider Art

사진 출처

art.org

1991년 시카고에 설립된 인튜이트(Intuit: The Center for Intuitive and Outsider Art)는 아웃사이더 아트의 전시, 연구, 홍보를 위한 비영리 단체다. 이 곳에서는 시카고 출신의 대표적인 아웃사이더 아티스트인 헨리 다거(Henry Darger)의 컬렉션을 비롯해 1,300여 점의 아웃사이더 아트 작품을 소장하고 있다. 또한 매년 아웃사이더 아트 분야에서 뛰어난 작업을 수행한 예술가, 전문가, 지지자에게 '비전상'(Visionary Award)을 수여하고 있다.

commons.wikimedia.org

위키미디어 공용(Wikimedia Commons)은 미국의 비영리 단체인 위키미디어 재단(Wikimedia Foundation)이 2004년부터 운영하고 있는 프로젝트다. 이를 통해 누구나 공개 도메인 및 무료 라이선스 교육 미디어 콘텐츠(사진, 영상, 사운드)를 무료로 사용할 수 있다.

digital.beic.it

2012년 개설된 유럽정보문화도서관(BEIC, Biblioteca Europea di Informazione e Cultura)은 문화예술 분야 최신 멀티미디어

자료들을 무료로 접근·활용할 수 있는 디지털 도서관이다. 2004년 밀라노의 유럽정보문화도서관재단(Fondazione Biblioteca Europea di Informazione e Cultura)에서 이 도서관 시스템을 구축해 운영하고 있다. 현재 이 도서관은 40,330개의 디지털 자산, 5,873,770개의 이미지, 40,159개의 오디오 파일을 보유하고 있다.

diversity-in-the-arts.jp

'예술 속 다양성'(Diversity in the Arts) 프로젝트는 비영리 단체인 일본재단(The Nippon Foundation)의 장애 및 문화예술 분야 지원 활동에서 탄생했다. 2016년부터 시작된 이 프로젝트는 다양성에 기반한 포용사회 구축을 목표로, 장애인 중심의 비주류 예술 전시·행사 및 프로젝트를 추진하고 있다.

lenbachhaus.de

렌바흐하우스 시립미술관(Städtische Galerie im Lenbachhaus and the Kunstbau)은 19세기 말 독일의 초상화가 프란츠 폰 렌바흐(Franz von Lenbach)를 기념하고자 1957년 뮌헨에 설립되었다. 같은 해 청기사파의 창립 맴버였던 가브리엘레 뮌터(Gabriele Münter)가 청기사파 작품 수천여 점을 기부하면서, 이곳은 청기사파 컬렉션의 본거지가 되었다.

rawvision.com

영국의 존 마이젤스(John Maizels)가 1989년에 창간한 『로우 비전』(Raw Vision)은 전 세계 유일의 비주류 예술 잡지로, 현재는 계간지 형태로 발행되고 있다. 로우 비전의 홈페이지에서는 아웃사이더 아트에 대한 개괄적인 설명과 함께, 비주류 예술 관련 멀티미디어 자료 및 미술관/갤러리 등 다양한 정보를 제공하고 있다.

ub.uni-heidelberg.de

하이델베르크 대학교(Ruprecht-Karls-Universität Heidelberg)는 630여 년의 역사를 지닌, 현재 독일 연방 공화국에서 가장 오래된 대학이다. 이 대학의 도서관은 독일에서 가장 큰 학술 도서관 중 하나로 손꼽히고 있으며, 한스 프린츠호른이 수집한 유럽 정신질환자들의 예술작품 컬렉션을 그의 사후 하이델베르크 대학교에서 소장하고 있다.

저작권법에 따라 저작권 보유 주체의 승인이 필요한 이미지들에 대해서는 해당 기관·단체·기업의 사전 동의를 받았습니다.

참고 문헌

단행본

김남시(2016). 『광기, 예술, 글쓰기』, 자음과모음.

다니엘 아라스(2008). 『서양미술사의 재발견: 다니엘 아라스의 미술 강연』, 마로니에북스.

레이첼 코헨(2021). 『아웃사이더 아트와 미술치료: 공유된 과거, 현재의 쟁점 사안들, 그리고 미래의 정체성』, 군자출판사.

마쓰모토 다쿠야(2022). 『창조와 광기의 역사: 플라톤에서 들뢰즈까지』, 이학사.

소마미술관(2022). 『뒤뷔페, 그리고 빌레글레』, 소마미술관.

신형철(2022). 『인생의 역사: '공무도하가'에서 '사랑의 발명'까지』, 난다.

유네스코한국위원회(2021). 『문화 2030 지표』, 유네스코한국위원회.

장 뒤뷔페 외(2003). 『아웃사이더 아트』, 다빈치.

전경갑(1999). 『욕망의 통제와 탈주: 스피노자에서 들뢰즈까지』, 한길사.

콜린 윌슨(2015). 『아웃사이더』, 범우사.

Jane Kallir, Valérie Rousseau (2017). *The Hidden Art: Twentieth and Twenty-First Century Self-Taught Artists from the Audrey B. Heckler Collection.* Skira Rizzoli & American Folk Art Museum.

Jane Livingston, John Beardsley (1982). *Black folk art in America, 1930-1980.* University Press of Mississippi.

John M. MacCregor (1989). *The Discovery of the Art of the Insane.* Princeton University Press.

논문 및 잡지

김영호(2011). 예술과 광기: 중광 예술론을 위한 시론(試論). 『인물미술사학』, 제7호, 203-236.

아트인컬처 편집부(2021). 아웃사이더 아트의 미술사. 『아트인컬처』, 5월호, 82-91.

한의정(2013). '아르 브뤼'(Art brut)의 범주와 역사에 관한 연구. 『현대미술사연구』, 34, 305-330.

언론보도

경향신문, "[어제의 오늘] 1865년 미국 노예제도 폐지"(2008. 12. 17. 자 기사), https://m.khan.co.kr/people/people-general/article/200812171738445#c2b

매일경제, "이중섭의 아이들, 경매 나온다"(2022. 9. 19. 자 기사), https://www.mk.co.kr/news/culture/10459203

웹사이트

아트 뮤지엄 벗이. "아웃사이더 아트." https://www.versi.co.kr/27

Artsy. "Why 'outsider art' is a problematic but helpful label?" https://www.artsy.net/article/artsy-editorial-outsider-art-problematic-helpful-label

Collection de l'Art Brut Lausanne. https://www.artbrut.ch/

Creative Growth Art Center. https://creativegrowth.org/

Intuit: The Center for Intuitive and Outsider Art. "What is outsider art?" https://www.art.org/what-is-outsider-art/

Kdoutsiderart. "Changing the way we see success: is outsider art becoming the new mainstream?" https://kdoutsiderart. com/2021/01/26/changing-the-way-we-see-success-is-outsider-art-becoming-the-new-mainstream/

La Fabuloserie. http://www.fabuloserie.com/

Outsider Art Fair. https://www.outsiderartfair.com/

PIERMARQ. "Jordy Kerwick." https://www.piermarq.com.au/ artists/42-jordy-kerwick/overview/

Raw Vision. "What is Outsider Art?" https://rawvision.com/ pages/what-is-outsider-art

The Art Story. "Art and Insanity." https://www.theartstory. org/movement/art-and-the-insane/

The Art Story. "Art Brut and Outsider Art." https://www. theartstory.org/movement/art-brut-and-outsider-art/

The Art Story. "Jean Dubuffet." https://www.theartstory.org/ artist/dubuffet-jean/